F-QU 435-3371
GOD
825 Cha

25¢

B53-29

D0714965

D'amour, P.Q.

DU MÊME AUTEUR

POÉSIE

Carton-pâte, *Paris, Seghers, 1956*
Les Pavés secs, *Montréal, Beauchemin, 1958*
C'est la chaude loi des hommes, *Montréal, Hexagone, 1960*

ROMANS

L'Aquarium, *Paris, Éd. du Seuil, 1962*
Le Couteau sur la table, *Paris, Éd. du Seuil, 1965*
Salut Galarneau!, *Paris, Éd. du Seuil, 1967*
(coll. «Points-roman», 1980)
D'Amour, P.Q., *Paris-Montréal, Seuil-HMH, 1972*
L'Isle au dragon, *Paris, Éd. du Seuil, 1976*
Les têtes à Papineau, *Paris, Éd. du Seuil, 1981*

DIVERS

La Grande Muraille de Chine, *Montréal, Éd. du Jour, 1969,*
trad. de J.-R. Colombo
L'Interview, *Montréal, Leméac, 1974,*
texte radiophonique avec P. Turgeon
Le Réformiste: textes tranquilles, *Montréal, Quinze, 1975*

CINÉMA

Fictions: Fabienne sans son Jules *(en collaboration), 1964.* Yul
871, *1966.* Kid Sentiment, *1968.* Ixe-13, *1972.* La Gammick, *1974.*
Les troubles de Johnny, *1974.*

Documentaires: Les Dieux, *1961.* Pour quelques arpents de
neige *(en collaboration), 1962.* À Saint-Henri le 5 septembre *(en
collaboration), 1962.* Rose et Landry *(en collaboration), 1963.* Paul-
Émile Borduas, *1963.* Le monde va nous prendre pour des sauva-
ges, *1964.* Huit témoins, *1965.* Les Vrais Cousins, *1970.* Aimez-
vous les chiens?, *1975.* Arsenal, *1976.* Derrière l'image, *1978.*
L'Invasion, *1978.* Deux épisodes dans la vie de Hubert Aquin,
1979. Distorsion, *1981.*

Jacques Godbout

D'amour, P.Q.

Hurtubise HMH

Maquette de la couverture :
Marie Lafrance

Éditions Hurtubise HMH, Limitée
2050, de Bleury, bureau 500
Montréal, Québec
H3A 2J4
Canada

Téléphone : (514) 288-1402

ISBN 2-89045-568-8

Dépôt légal / 3ᵉ trimestre 1983
Bibliothèque nationale du Québec
Bibliothèque nationale du Canada

© Copyright 1972
Éditions du Seuil

Imprimé au Canada

Pour
Raoul Luoar Yaugud Duguay

« à un moment donné TOULMONDE
est demandé au parloir »

ACT ONE

OU L'ON FAIT LA CONNAISSANCE DU PERSONNAGE PRIN-
CIPAL ET DE QUELQUES PERSONNAGES SECONDAIRES DONT
MIREILLE QUI PARTAGE AVEC MARIETTE UN CINQ PIÈCES
CUISINE DANS UNE CONCIERGERIE DE VINGT-TROIS ÉTAGES
MODERNES AVEC TAPIS MUR A MUR PISCINE CHAUFFÉE SUR
LE TOIT LA VIE DE CHATEAU AU CŒUR MÊME DE LA CITÉ
ESPACE LUMIÈRE CONFORT INTIMITÉ LA VILLE A LA CAM-
PAGNE INSONORISATION COMME LE SILENCE D'UN ÉTANG
CLIMATISATION COMME LA BRISE D'AOUT ANTENNE COMMU-
NAUTAIRE COMME LE TÉLÉPHONE PARTAGE BAINS SAUNAS
PICHET BOUILLANT DU SAMEDI SOIR ASCENSEURS RAPIDES
COMME L'ÉCHELLE DE JACOB ÉPICERIE DU COIN AU REZ-
DE-CHAUSSÉE SNACK-BAR PATATES FRITES MIREILLE ET
MARIETTE SECRÉTAIRES A L'UNIVERSITÉ AUPARAVANT
CHEZ SHELL CANADA LIMITED PLACE VILLE-MARIE BOU-
CLENT LEUR FIN DE MOIS EN DACTYLOGRAPHIANT POUR
DES INTELLECTUELS DE LA COTE-DES-NEIGES DES THÈSES
DES ARTICLES DU COURRIER DES POÈMES DES ROMANS

Or les mots s'approchent : comme des mouches. Ils font trois, quatre tours prudents, plongent, s'agglutinent, chantent, se reproduisent, butinent, se séparent, s'appellent, s'interpellent, et le livre commencera d'apparaître là où je les écraserai, comme des mouches justement, comme des fraises, en tournant lentement le pouce pour en faire sortir tout le jus sucré...

— Tout le jus sucré ! *Vouache !* (dit Mireille) du jus de mouche ! Tu me donnes mal au cœur, l'Auteur ! Ça va te coûter une bouteille d'Eno's Fruit Salt correct ! Pour qui qu'il écrit des affaires de même ? Du jus de mots... de la bave d'écrivain ! Tabarouette, que c'est vulgaire ! Tabarnouche, t'as pas honte ! Tabarnique, c'est pas des choses à lire à jeun le matin ! Tabarnaque, dans quoi que je m'embarque ! WOWE ! Suis une tite fille correcte moi ! J'ai été élevée chez les sœurs, je m'en vas pas me mettre à encourager la grossièreté des sentiments ! Pour kikim'prend ? Sacrament ! Du jus ! Dans deux minutes y va faire saigner les mots c'est sartain, comme

des sacrés-cœurs de carton, t'es un maudit enfirwapeur,
l'Auteur !

Laisser le livre prendre comme prend la glace de
novembre, se figer comme un poudigne avec dedans
un vieux lacet brun de vingt-sept pouces, une enveloppe déchirée, du chewing-gomme durci, de la poussière de feuille d'érable, un bouton vert rouillé, un
bâtonnet de popsicle à saveur de chocolat...
Se taire, écouter.

— ...Ah ! Maudite marde de pape
en plastique ! J'ai oublié la citation pis les médailles !...
Sur qui qu'il s'appuie cette fois ? Sibole ! Aragon !...
tiens, tiens, on est bien loin de l'Annonce à Marie ka
s'était faite fourrée sanl savoir par un oiseau ! Koséki
dit, Aragon, de si fin ?

> « Il s'agit toujours d'exprimer ce qu'on
> aime et qu'on voudrait nous interdire
> d'exprimer. »

— Ça me semble évident mouman. Pourquoi mettre
une phrase de même en exergue ? Pour faire cultivé,
je suppose... Je m'en vais lui taper ça sur une page à
part, il pourra ainsi, nèssepas, la sacrer au panier avec
son linge sale, ses chaussettes executive en nylon, ses
chemises italiennes, ses caleçons arc-en-ciel.
(Mireille regarde les touches de son piano à lettres
avec un haut-le-cœur évident.)

— Si je lui dactylographiais le texte sur du Kleenex, il pourrait se moucher dedans. Du jus de mouche ! C'est aussi écœurant que le dentier de grand-mouman dans son eau salée entre nos brosses à dents Oral B ; épi crisse que c'est toffe se mettre au travail quand une machine est pas les chars !

(Elle modèle une tortue avec de la plasticine à nettoyer qui lui colle gentiment au bout des doigts, tamponne les lettres que l'encre macule, majuscules et minuscules, tord la pâte bleue, en sort une boule qu'elle lance au plafond, qui retombe sans rebondir... maintenant que tout est propre on peut continuer ?)

Etre fidèle au livre, car écrire c'est parfois tuer un à un ces lecteurs imaginaires qui, au-dessus de mon épaule, jettent de l'ombre sur les pages à demi remplies, écrire c'est, d'une certaine manière, assassiner les mots aussi, les empaler avec sa fourchette, les offrir au premier venu dans des brasseries sombres où le temps vient s'arrêté.

                    — Arrêté ? dit Mireille ;
accent taigu ? Cela aurait tété mieux d'écrire : arrêter, E-R, mon beau Caruso de papier...

Tenter de discerner sa voix parmi celles qui nous parviennent du rez-de-chaussée, ici des gants de peau, là des parapluies, des bonbons, des sacs, des bonnets

de bain, des appareils photos, des... écouter les MOTS-
MOUCHES qui chantent dans la lumière des croi-
sées.

— C'est clair, ça doit être un texte pour une
revue littéraire, c'est sûr... douze abonnés dont dix
écrivains et deux professeurs... Je comprends pas !
Ya pas besoin de ça. Vouais. Dis donc ! Mariette ! Ça
sent la *marde* ton nouveau champou, moi, ça me fait
rien, c'est pour TOI... Une chance que c'est pas trop
long cette niaiserie-là ; ça m'écœure un peu...

Tu te souviens ? Je t'avais dit, à propos de notre
première voiture, nous la ferons repeindre l'année
prochaine, je lui ajouterai des flancs blancs que tu
retoucheras le dimanche matin puisque tu ne vas plus
à la messe.

Tendre l'oreille : les mots bégayent. Ce matin le
soleil ronge les trois tablettes du haut, la bibliothèque
grandit, les livres s'ouvrent, on entend, comme de la
pomme d'une douche, le Murmure régulier du sens
des mots qui s'écoule.

                  — On peut pas DIRE que c'est
pas bien ÉCRIT épis que c'est pas BEAU ! Cela a
même..., maudit ! un ongle de cassé ! Maudite machine
m'a t'poquer ! ...Avocado Freedom, Hawaïan Sand,
Blueberry Dream, Golden Spruce... *(elle crie)* : Sacrament d'bouteilles !... Strawbery Star, ben j'aime
MOINS la couleur, mais si je peux l'ouvrir, ça va faire
comme vernis pour aujourd'hui ! Maudit chte dis !

Quand sécollé sécollé du nêle pouliche américain, des vrais pots de confiture, moins les mouches de l'Auteur ! Ça me prendrait de l'eau chaude, la faire tremper comme un ongle incarné... MARIETTE ! MARIETTTTE ! Tu me passes ton percolateur ?

(Celle-ci, un thermomètre dans le bec, s'affaire au fond de l'appartement. On l'entend à peine.)

MIREILLE : Ecoute Mariette ! Jusse une minute pour tremper mon cutex !

MARIETTE : ... ans ?

MIREILLE : Binon voyons ! La bouteille, pas fine...

MARIETTE : ... orcé ?

MIREILLE : J'ai essayé, j'ai même poqué tout le cadre de la porte avec ; je peux pas l'ouvrir, c'est bien simple.

MARIETTE : ... asse le bouon ?

MIREILLE : Quoi ! Késék tu dis ? Ça m'avancerait pas une miette : le pinceau est pogné dans le bouchon. Maudit que t'es dure de comprenure ! Mariette !

MARIETTE : ... tique.

MIREILLE : Ouais... pratique, pas pratique, tu mel passes ton percolateur tout neuf ?

MARIETTE : ... veux !

MIREILLE : Ousékié sa plogue ? Oh ! oh ! Oké là ! Bouge pas, je l'ai trouvée... *(Le percolateur branché, Mireille en profite pour dactylographier trois lignes.)*

17

Il n'y a plus que les écrivains qui donnent leur parole, et qu'on prenne aux mots. Je voudrais retourner au verbe originel, au commencement il y avait...

Elle s'arrête net, les mains posées à plat de chaque côté de sa machine : JE M'EXCUSE ! Mais ça sert à rien, moi je peux pas commencer à travailler si j'ai pas les ongles faites, c'est comme ça point fanal, il y en a qui commencent par aller pisser, d'autres c'est le bénédicité, ou ben des exercices d'assouplissement yoguiques physiques, MOI, c'est les ongles, c'est simple, vu que l'eau est déjà chaude... *(A Mariette)*: Ça marche vite une bibite comme ça. *(A la bouteille)*: Tourne ta bobinette je fais trempette, tu vas t'la dévisser la tête ?

(Elle crie): JE L'AI ! Je l'ai ! Mariette, quand est-ce qu'il a dit qu'il le voulait son petit texte, l'Auteur ?

MARIETTE : ... in.

MIREILLE : A matin, ce matin, à midi, ce midi, quand je pense qu'il faut que je surveille sa grammaire en plusse ! T'as-tu du rimouveur ?

MARIETTE : ... able ain.

MIREILLE : J'ai l'ongle du clitoridien pis celui du néculaire qu'ont deux épaisseurs de vernis, on dirait que le pouce sort d'une circoncision dans un hôpital catholique... avec du rimouveur ça devrait partir aussi vite que des galettes dans le sirop.

MARIETTE : ... tu ouate ?

MIREILLE : Des Kleenex ça fait pareil... je laisse tout sur la pannetrée, je peux rien toucher, t'es mieux de

changer l'eau si tu veux te faire un café plus tard...
Ça veut pas sécher... Mariette! Marrriettte! Oussé
que t'es allée hier soir?

MARIETTE: ...mel.

MIREILLE: Non! C'est pas vrai! Maudite chanceuse!
Ça, c'est une place botte. Je devrais m'acheter des
ongles de rechange. Si j'avais une japonaise, un
nègre ou un éventail électrique, ça irait plus vite!
Mariette! Je te parle bâtard tu m'écoutes pas?...
Yé-ti-bête!

MARIETTE: Qui ça?

MIREILLE: Je me fais sécher les ongles, il pense que
je lui fais des signes en morse!

MARIETTE: ...nais?

MIREILLE: Non. C'est le grand Noir de la maison d'en
face, s'adonnait à regarder par ici... Tata! YouHou!
Salut! (*Le voisin la dévore des yeux depuis la bay-
window de son bachelor.*) Mouman, c'est pas toute
ça, le travail vous appelle Mireille... (*Elle voit tout
à coup une enveloppe brune sur la table à café du
salon, la prend, l'ouvre.*) C'est pour moi! (*La tenant
à deux doigts...*) Mademoiselle virgule vous trou-
verez ci-inclus un article très court pour le Dictionnaire des Ecritures. Ah bon, c'était ça, son affaire
de mouche virgule et les premières pages d'un roman
qu'il me faudrait en deux copies pour dimanche soir
point je vous téléphonerai avant de venir avant
minuit point virgule peut-être vous apporterai-je
un autre chapitre d'ailleurs point merci point
Veuillez agréer virgule mademoiselle virgule l'expres-

sion de mes meilleurs sentiments virgule et c'est signé de la main de l'Auteur soi-même : Thomas D'Amour. Mon Dieu que c'est gentil, que c'est donque poli un Auteur ! Je vous embrasse puipe puipe du bout des lèvres... je vous effleure la joue. Mariette !

MARIETTE : ... core ?

MIREILLE : Depuis combien de temps qu'il nous apporte du travail le beau D'Amour ?

MARIETTE : ...ois mois.

MIREILLE : Trois mois ! Veuillez agréer... sacrament ! Baise-moi le cul Thomas D'Amour ! Tu m'as jamais regardée ? Pis, ça se dit écrivain engagé... ça passe toujours en coup de vent, voici des feuilles, merci des feuilles. Une fève mexicaine. Un jour je m'en vais le clouer au plancher, l'Auteur, pour lui montrer comment je trime quand lui se la coule douce dans le Nord avec sa femme. Ya pas de justice. Maître D'Amour. Mireille la merveille, Esclave. Je compte pas ? Jusse d'y penser ça me met à l'envers. J'ai fini son article ! ? Ouskié son roman ?... Ça parle au bordel vert ! En capitales ! Regardez-moi ça :

ZAPPE !

OUICHE ! Z

20

VLAP!

C'est à croire qu'il travaille pour une compagnie de D.D.T. Pourrait tuer des moustiques avec un titre comme ça. Comment, un roman ?... (TIQUE, TIQUE, TIQUE, TIQUE) Entendez ma machine électrique ! Mariette ! Mâaariette ! Je commence à travailler là, safaque viens pas me déranger, t'as compris ?

CHANT PREMIER

Des galaxies qui frissonnent ; elles ont la chair d'étoile : l'éternité est un éléphant en expansion qui pue des oreilles et répand ses arachides comme poussière de comète. La toupie du temps s'embrase et sa queue dessine un sentier rouge dans le blanc lacté. Par le hublot octogonal, dans la buée stellaire, on devine les planètes qu'il faut éviter.

Peut-être un jour regretterons-nous cette querelle de taverne avec Dieu ?

— Avec Dieu ? Y s'est toujours pris pour un autre !

Nous n'avons pas même envie d'y songer !

Les systèmes solaires défilent comme lanternes chinoises au sixième verre de punch ; chaque astre an-

21

nonce un roi, un cataclysme, le bouleversement d'un empire, une civilisation qui trébuche.

Nous peignons des maisons dans la carte du Ciel : la première sera la maison de la Vie, de la constitution du Corps et des dispositions de l'Ame ; la deuxième, celle des Biens et des Richesses ; la troisième, celle des Frères, de la Religion, des Mutations et des Voyages ; puis celle des Parents, de la fin de la Vie et de la fin des Choses ; la cinquième, celle des Enfants, des Affections, des Plaisirs ; la sixième, celle de la Santé, des Serviteurs ; la septième, celle du Mariage, des Femmes, des Contrats et des Discussions ; l'autre, celle de la Vieillesse et de la Mort ; la neuvième : la Sagesse, les Entreprises lointaines ; la dixième, celle de la Position, de la Dignité, des Honneurs ; la onzième, celle de la Fortune, des Espérances, des Relations, des Amis ; la douxième enfin, celle des Ennemis, des Echecs, des Tristesses. Et les Cancers et les Vierges et les Taureaux disputeront l'air chaud le feu humide les fumées molles aux Lions, aux Scorpions, aux Balances dans les années lumières qui s'éteignent déjà.

Mireille regarde par la fenêtre, allume une cigarette, le cendrier déborde, les pots de vernis à ongles se tiennent face à elle comme pions sur un jeu d'échec. Elle glisse un doigt distrait sur le papier carbone qui se plisse... ça ne va pas se vendre cette affaire-là ! sartain, ma catin ! pourquoi qu'il écrit pas un roman policier ! Verra ! Moi, si j'avais son talent...

CHANT SECOND

La Toupie ronronne comme chat de Perse fumant des lotus séchés

Au printemps l'odeur des planètes étouffe le silence... frayeurs d'enfants qu'il nous faudra créer de toutes pièces pour prouver que nous avions raison de ne pas céder aux arguments mielleux des archanges qui rêvaient de nous voir à jamais soumis

Dieu nous fit venir et contenant mal sa colère nous dit : « Désormais vous... » je n'ai jamais entendu la fin de son homélie.

Nous nous sommes cachés derrière un météorite et nous nous sommes emparés de la Toupie du Temps.
Depuis

Nous glissons dans une lumière noire qui a des odeurs d'alcool de poire, de sorbet à l'orange, de gâteau aux fraises, l'un d'entre nous a suggéré que nous nous appelions des Hommes

Et que nous trouvions une plage nôtre.

— *Ce qui me fait penser* MARIETTE ! Est-ce que la piscine est remplie ?

MARIETTE : ... gner ?

MIREILLE : Jte piquerais une petite plonge avant midi ! Je vas t'attendre OKÉ ? De toute manière j'ai pas fini ! D'Amour n'a pas téléphoné ? Non ? Bon, bon. Baptême, réponds pas !

L'Infini sidéral de chaque côté comme des draps à plier, la Terre dans un bain de vapeurs inviolées... des oiseaux qui, à tire d'aile, venaient goûter du bec à la toupie.
— *J'y goûterais bien, au petit Thomas D'Amour...*

Le Capitaine fit le tour du lac avant d'enfoncer la pointe d'or dans le sable blanc. Des singes nous entourèrent,
Qui piaillaient comme les Vierges du Seigneur.

— C'est ce que j'appellerais de la littérature de Haute Classe, même si ça manque un peu de prétention parce que le vocabulaire est trop simple... Je ne sais pas ce qu'il dirait, l'Auteur, si j'en sautais des bouttes icitte et là ? Par contre, c'est vrai que je suis payée à la page, safaque je suis ben folle même d'y penser !

Je ne sais plus lequel d'entre Nous ouvrit soudain la trappe : je me laissai couler le long de la paroi, les Autres ne suivirent pas, repartant vers Mars probablement, dont nous avions tant aimé
les coraux rouges et le silence
Un primate me but goulûment...
— *Goulûment !*

Ostid' grand singe !
Nous étions au début des temps,
Hors du temps
qui tournait là-haut sur lui-même.

24

Avec sa cargaison de Punis qui essaimeraient un peu partout,

      — Un peu, beaucoup, passionnément... Bâtard, c'est pas Michel Butor ! Un peu partouzé ? Yécrit donc mal !

Chacun cherchant un paradis de carte postale qui lui rappellerait celui de Jadis avant qu'il ne devint Prince des Ténèbres.

      — Envoye ! Le veuf ! L'inconsolé ! le soleil noir ! J'ai fait mon cours Lettres-sciences, tu m'auras pas ! J'ai déjà su ça par cœur, l'Auteur !

Le soleil disparut à l'horizon...

      — Ouséque tu voulais qu'y s'en aille ? Hein baquet ? Où ça ?

Les ombres s'allongeaient, une autre terre naissait que je n'avais jamais connue et les insectes prenaient la parole entre la chaleur et les cris des panthères.

A califourchon sur une grosse branche en fourchette, nous avons tenté de dormir (il n'y a pas de sommeil au paradis)

La lune de pêche devint fromage.

Aussi, cette nuit-là, au bout de ma fatigue, quand la rosée nous fit frissonner, j'inventai le rêve et le c...

      — Mariette ! CAU-CHE-MAR... avec un d ou un t ?

MARIETTE : ... ien.

MIREILLE : Thomas D'Amour écrit ça avec un d, sacrament, j'aime pas ça effacer en trois copies ! Tant pis, j'y mets de l'opaquigne.

BIBLIOTHÈQUE DE BLAINVILLE

Il suffit de garder les paupières closes et les yeux de
l'âme ouverts,
les tableaux d'une fête foraine intime défilent alors
et les colliers de poils
s'éparpillent au vent
Parfois,
Dans le ciel des forêts
Ou bien poursuivant (— Tu parles d'une mise en
page!) les troupeaux de buffles qui galopaient épaule
à épaule dans la glaise et la poussière:
des cigales incandescentes, des soucoupes aériennes,
des fusées interplanétaires.

Un jour nous sûmes que nous étions plusieurs, et
l'un d'entre nous, épris de nostalgies, annonça que
bientôt nous retournerions au Paradis.

Ceux qui se repentiraient auraient le pardon de
Dieu, et le jardin délicieux serait distribué comme
dragées au baptême.

MIREILLE *(debout sur son tabouret)*: J'ai mon voyage!
Bordel! Thomas D'Amour a fait un trippe mystique,
yé toute foké c'est pas possible, après lui le déluge,
vas-tu me raconter l'histoire des cathédrales? Je lui
tape un autre chant, si c'est pas mieux il va se le
D-A-C-T-Y-L-O-G-R-A-P-H-I-E-R LUI-MÊME!
*(Elle saute à pieds joints sur le plancher, éteint sa
cigarette dont le filtre même commençait de brûler.)*
— Sacrament que ça sent le cul, un Kotex à poumon!
Envoye Mireille:

CHANT TROISIÈME

— ... pourquoi pas Chant Trois, ou Troisième Chant ?
Mireille allonge ses jambes sous le pupitre et d'une poussée de ses talons contre le mur fait tourniquer sa chaise de secrétaire modèle. Sous ses cheveux ébouriffés, sa tête de zoulou rousse dodeline en cadence ; elle se sent molle comme une huître, referme l'écaille, regarde ses seins, ses genoux, et sans se lever, comme une infirme fait rouler sa chaise, en se tapant les cuisses, elle revient à la table :

Ce que j'aimais le plus,
hors les guenons fraîches montées dans le lit sec
d'un ruisseau, à l'abri derrière les épines d'un bosquet,
Ou grimpées au creux d'un rocher où s'amassent
l'eau la mousse le lichen
Ou surprises dans les herbes hautes avant le coucher
du soleil.
            — On dirait que t'as peur des matelas mon
Thomas !
C'était m'enfoncer dans des cavernes de calcaire
toujours plus sombres, de plus en plus sèches, surplombant les rivières et sous une torche fumeuse
Dessiner des chasses et des baleines

Je passais mes jours à préparer les ocres, mes nuits à colorier les parois. Parfois, revenant à la lumière, je découvrais ma tribu anéantie par la peste

alors j'errais dans la plaine, tentant de retrouver les hyènes, j'empruntais tous les sentiers

jusqu'à ce qu'un jour à midi je découvre, au détour d'une clairière, un groupe d'hommes le ventre à l'air, repus, alors j'attendais

caché derrière un tronc évidé par les fourmis. Le Chef ouvrirait les yeux, je lui offrirais un bracelet de cuivre, une canne sculptée, une statue équestre, une chapelle.

Mon doux Seigneur!

Nous mangions des baies, des groseilles et des mûres et buvions de l'eau fraîche dans les outres de palmes

Des nuits entières,

Avec des bois de cerf sur la tête, et des os dans les mains

nous caressions des troncs d'arbres,

nous battions aussi nos femmes qui criaient pour éloigner les esprits et les bêtes de proie.

— J'en fais

pour dix piastres, pis je m'arrête!

Nous habitions un abri sous un pan de rocher noir Etalé au soleil.

— C'est une baptême de manie son soleil, y en a partout, heille Mariette? C'est quoi comme symbole, le soleil?

MARIETTE: ... veux dire?

MIREILLE: Ben oui, c'est-ti un symbole *phallique?*

28

MARIETTE : ... trop rond !

MIREILLE : Soleil, chaleur, la mère ?

MARIETTE : ... père

MIREILLE : Ben dans ce cas-là, mon Auteur voit son père partout.

MARIETTE : ... apette ?

MIREILLE : Cela, ma chère, mérite une étude en profondeur, laisse-moi travailler, sacrament, je finirai jamais avant qu'on aille se saucer.

Des peaux d'ours et de serpents que la vermine les mouches, les fourmis et les enfants
nettoyaient distraitement.
Le dimanche la neige tombait comme une chanson.
        — Ça j'aime ça.
Ne pas oublier la Toupie,
le hisse des tuyères de platine, le grondement des étoiles qui **éclatent**
comme une fête en Chine,
le chuintement des cheveux qui poussent
les ongles aussi qui grandissent, mous comme des escargots taillés dans du foie de poulet.
L'odeur de la manne frite
Et les Bédoins affamés
Ne pas oublier que je suis un Puni.

— Justement, dites-moi, ma petite Mireille, pourquoi

les âmes des justes attendaient, dans les enfers, la venue du Sauveur ?

Parcequelecielétaitfermédepuislepéchéd'Adam.

Tous ensemble maintenant :

Nous vous adorons, O Christ, et nous vous bénissons. Parce que vous avez racheté le monde par votre sainte croix : Ma petite Mireille tu viens de gagner trois ans d'indulgence. Hé bien bravo ma petite Mireille. Tu connais bien ton catéchisme ! C'est ce à quoi ça me fait penser, ton ostidtexte l'Auteur ! T'as rien compris. Le Paradis perdu, c'est MOI ! Mariette ! J'ai soif !

MARIETTE : ... core !

MIREILLE : Tétu faite du café ? J'en prendrais un noir.

MARIETTE : ... inque trop.

MIREILLE : Chte demande pas de me faire la morale, je te demande de me faire un café, bâtard, si tu veux pas je vas m'en charger. T'es allée chez Van Hoot ?

MARIETTE : ... ave mes ouvêtements.

MIREILLE : Chrisse t'as jamais mis de culotte !

MARIETTE : ... droit se recycler !

MIREILLE : C'est vrai. Mais ça va plus vite sans, pis comme ça t'as pas de boutons aux fesses.

MARIETTE : ... lisses.

MIREILLE : Si tu mets un jupon y aura plus personne pour te pogner le cul. Mal faire Moi-Même, le café. Avec de la chicorée s'il le faut ! Lave calvaire ! Efface tes péchés ! *(Elle revient à sa table de travail)* ; Dla marde, je saute deux pages !

...Le plus important c'est l'oreille, nous en prenons un soin jaloux et il n'est pas rare de voir l'un d'entre nous penché sur la tête couchée d'un congénère, appuyé sur ses genoux, nettoyer ces replis poilus qui se croisent comme anguilles en vivier. Il faut avec une épine gratter les gales, retirer les bouchons de cire, puis cautériser avec du jus de tabac. Alors l'oreille devient attentive à nouveau : elle peut même percevoir le souffle court des béliers à deux pattes qui hantent les forêts de pin avec dans leurs sacs les boyaux les cervelles les tripes des enfants mort-nés de la région ; les temps sont difficiles, nous ne pouvons donner à manger à tout le monde et j'ai des voisins qui déjà ont égorgé quatre de leurs onze serviteurs ; il faut ses deux oreilles pour entendre l'encens ramper de l'Eglise sur les pavés puis se couler tel un espoir entre deux maisons aux volets fermés ; il faut des oreilles à grillon, des oreilles à vent, des oreilles à cri du puits, des oreilles à cigale, des oreilles à galets lancés, des oreilles à sable entre les orteils, des oreilles à plumes de palombe, des oreilles à suintement d'olive, des oreilles qui puissent entendre la glace fondre au creux d'un coude, des oreilles à fougère pour voir les arbres jaunir, des oreilles noires du goudron du tabac mais qui écoutent l'ombre des nuages sur la route l'ombre des ânes arrêtés et celle des ailes de mouche dans le cou des chameaux endormis et qui ruminent encore comme s'ils n'avaient pas digéré le faste du palais devant lequel il faut passer pour arriver *au pont*, des oreilles qui ne vieillissent pas ;

                   — Voualà ! Wouo ! Ya
des limites ! Saint Siméon ! Saint Jacques le mineur !
Saint Michel des Saints ! Saint Philippe d'Abotsford !
Saint Crème ! Saint Liboire ! Saint Nazaire et Barnabé !
Sainte poche ! Saint cennes pour mon café ! Oupse !
Voilà, voilà, voici le sucre, ceci est ton corps, voici la
crème, ceci est ton sang, tu peux le garder merci je le
bois noir péché, allez allons Mariette chérie ! le temps
du biberon est arrivé ! Tea Time ! Et nous irons mor-
dre tout à l'heure la Châtelaine qui s'endort à cette
heure.

MARIETTE : ... raconte ?

MIREILLE : Nous lui planterons, disais-je... Mariette,
    veux-tu des biscuits ?

MARIETTE : ... colat.

MIREILLE : Mille regrets ma chère mais il n'y a plus de
    biscuits au chocolat, puis-je t'offrir des à la vanille
    ou des villages secs ?

MARIETTE : ... aisse faire !

MIREILLE : Après avoir mordu des coukises nous plan-
    terons nos canines énormes dans son beau cou
    blanc

MARIETTE : ... quoi tu arles ?

MIREILLE : Je m'adresse à l'emballage luxueux des trois
    rouleaux de papier à torcher de marque Swan qui
    trônent sur le frigo. On y distingue un paysage du
    dix-huitième siècle — quand je pense que dans ce
    temps-là, ça se torchait avec les doigts ! — et un
    étang devant le château où glissent, majestueux, des

cygnes blancs... par ici Messieurs Dames ! Suivez le guide !

MARIETTE : ... ni oman 'mour ?

MIREILLE : Chrisse tu pourrais pas t'enlever le thermo-mètre du cul de poule ? Ça fait vingt minutes que t'as ça sous la langue, je comprends rien à ce que tu racontes moi.

MARIETTE *(retirant l'objet)* : Excuse-moi. Je l'avais complètement oublié. Ciboulette que chus distraite ! *(Elle regarde, cherche la ligne de mercure, la trouve enfin.)* Ça va mieux j'ai pas de fièvre.

MIREILLE : T'aimes tellement ça sucer que quand t'as kèke chose dans la bouche, tu veux plus lâcher...

MARIETTE : Ça nourrit. Je te demandais si tu avais fini de taper le roman de Thomas D'Amour ?

MIREILLE : Le roman, le roman ! C'est vite dit. C'est ben plusse de la poésie. Suis pas très sûre de vouloir le contrat de toute façon.

MARIETTE : Tu sais bien qu'on ne fait plus ces distinc-tions-là...

MIREILLE : C'est toi qui le dis : à la faculté ils ont des cours sur le roman, d'autres sur les poètes. Moi me semble qu'il y a une différence...

MARIETTE : Tu veux-tu ma théorie ?

MIREILLE : Chrisse que c'est chaud quand on met pas de crème ! Envoye ! Choute !

MARIETTE : J'ai l'impression que ceux qui écrivent cou-chent avec la langue. Voilà. C'est bien dit non ?

MIREILLE : Et si c'est leur langue maternelle, ils con-somment l'inceste, c'est ça ?

MARIETTE : Que ça soit un roman, un poème, ce que tu voudras, c'est chaque fois un acte d'amour, et les bébés livres resssemblent à la qualité de cet amour.

MIREILLE : Yen a qui sentent l'éprouvette en tabarouette ! Heille faut que je te lise quelque chose, grouille pas !

Mireille va chercher dans la bibliothèque le Graal Flibuste de Robert Pinget dans la collection 10-18, revient en lisant à haute voix quelques lignes signées d'Olivier de Magny :

« Ai-je fait sentir que tous les livres de Robert Pinget, inséparables bien que distincts, peuvent se lire comme les contre-épreuves d'un seul livre qu'il n'écrira jamais, comme les preuves de ce livre mais tournées contre lui, le révélant négativement, manifestant l'impossibilité de ce roman qui ne cesse jamais de ne pas s'écrire à l'intérieur des livres que Pinget a écrits ? »

MARIETTE : Ça renforce ma théorie : il y en a qui ne font pas l'amour, ce sont des écrivains qui gâtent le fonne. La littérature leur reste dans les mains.

MIREILLE : Ben justement, c'est ça. Moi, j'aime traveiller sur des affaires le fonne. C'est pas que je ne crois pas aux choses sérieuses, tu sais ce que j'en pense, mais quand c'est pas grave ou essentiel, le sérieux, c'est comme la papauté, ça me fait chier...

MARIETTE : T'es payée pour taper, tape !

MIREILLE : Bien sûr, je me mêle de ce qui ne me regarde pas, le travail que je fais pour Thomas D'Amour, n'importe qui pourrait le fournir, même un ordinateur bien programmé.

MARIETTE : Je t'écoute là... C'est pourtant pas la première fois que tu copies un manuscrit qui t'ennuie ?
Je trouve que tu y mets beaucoup de rancœur. Est-ce
que tu ne serais pas amoureuse, par hasard ? Des
fois, comme ça...

MIREILLE : Ça c'est le boutte !

MARIETTE : Parce qu'après toute, c'est son nostie dè
manuscrit à lui, qu'est-ce que t'en dis ?

MIREILLE : Sacrament de sacrament de sacrament !

MARIETTE : Kosékia ?

MIREILLE : Ostie d'bâtard de sacrament d'épaisse de
Mireille les oreilles ! Wouaou ! Arrosez-moi les pom-
piers ! Ça c'est le bout dla marde en chien !

MARIETTE *(inquiète)* : Kosékia encore ?

MIREILLE : Non, non, je veux pas y croire, c'est pas
possible ! Fessez-moi ! M-A-R-I-E-T-T-E ! Tout d'un
coup que t'aurais raison !

MARIETTE : Ça c'est déjà vu.

MIREILLE : Thomas D'Amour, yé beau garçon.

MARIETTE : Pis t'aimerais lui faire un beau bébé livre.

MIREILLE : C'est pas possible : il couche avec des mouches. ... avec son ZAP ! ZOUICHE ! FLIP ! il va se
chercher des lecteurs à la loupe ; ou est-ce que t'as
pris ta théorie ?

MARIETTE : Au téléphone ; je ne sais plus ; à force d'y
penser. T'es amoureuse ou pas ?

MIREILLE : Je pense que je l'aime. J'aime Thomas
D'Amour. Je vous l'avoue mon père, ainsi qu'à Dieu
qui va tout comprendre. Mais c'est pas une raison
pour aimer ce qu'il écrit.

MARIETTE : T'es sûre de pas te tromper ?

MIREILLE : Tu peux m'aider ? Oké ?

MARIETTE : Si tu veux.

MIREILLE : Je te lis la fin du premier chapitre, là déiouske chus rendu, jusse ça, tu vas voir, tu vas me dire. *(Elle rapporte quelques feuilles du salon à la cuisine en courant presque.)* Bon. Au début c'est un narrateur.

MARIETTE : Je ?

MIREILLE : C'est ça, qui raconte que des sortes d'anges sont tombés du ciel, comme de la pluie, qu'on les appelle des hommes, qu'ils mènent une vie primitive, sauvage.

MARIETTE : C'est pas fort.

MIREILLE : Epis t'es ben chanceuse que je te résume ! Donc. C'est comme une description du paysage le lundi suivant le septième jour après que le Bon Dieu soit reposé... tu sais que tu vas avoir besoin d'un soutien-gorge bientôt toi !

MARIETTE : Tu mel lis ou bedon ?

MIREILLE : « Et l'eau dégoulinait le long des troncs comme nous du hublot de la Toupie. »
Ah oui j'avais oublié, ils sont en fait venus en toupie du Temps à travers les galaxies.

MARIETTE : Comme Jacques le Matamore ?

MIREILLE *(elle fait oui de la tête)*. Je poursuis : « Y avait-il des punis dans cette... » parce que les punis, tu vois, c'est les anges qui ont commis le péché d'orgueil.

MARIETTE : Qu'est-ce que l'orgueil ?

36

MIREILLE : L'orgueil est un péché mortel qui consiste à nous estimer d'une façon désordonnée et à mépriser les autres.

MARIETTE : Qu'est-ce qu'un péché mortel ?

MIREILLE : Un péché mortel est une désobéissance grave qui offense Dieu et qui nous enlève la vie surnaturelle.

MARIETTE : Que faut-il faire pour aller au ciel ?

MIREILLE : Pour aller au ciel il faut éviter de désobéir à la loi de Dieu, c'est exactement ce qui m'est passé par la tête tout à l'heure ! C'est drôle, ça.

MARIETTE : Continue.

MIREILLE : Bon... Ils deviendraient alors... C'est puissant le ti-catéchisse... Philodendrons pissenlits chardons lys cabris sels chiens... c'est parce que l'ange puni — moi c'est comme ça que je le comprends — quand il entre dans l'atmosphère, se liquéfie. Safaque, il peut pénétrer n'importe quoi, n'importe iou, n'importe quand...

« Et ceux parmi nous qui oubliaient l'essentiel devenaient des outres de peaux mortes puis mouraient, tout simplement, et le Vieux avait gagné, car l'ange qui meurt ne laisse jamais de trace. »

MARIETTE : C'est comme de la bière sur un tapis.

MIREILLE : Je poursuis, chotte hop !

« Il fallait que ce souvenir devînt habitude. Que l'on sût départager les vainqueurs des vaincus, que l'on pût distinguer l'Homme lucide du vieillard vide ; comment savoir du premier coup d'œil ceux qui sont tout homme et ceux qui ne sont qu'écorce ? Par le frémissement des narines ?

C'est ce à quoi songeait Imroul Kaïs... »

— Tiens, c'est la première fois qu'il en parle de celui-là...

« En se traînant les pieds sur le chemin de ronde qui va de la tour du Machuca au bassin lépreux.

Devant lui, dans le soir qui venait, les pêcheurs d'hirondelles tendaient leurs bâtons nerveux, assis à califourchon sur les remparts

nœuds coulants dans l'air sec.

" Ou est-ce qu'en vieillissant on oublie, tout simplement ? "

Imroul Kaïs enleva sa botte gauche avec difficulté, une pierre dans la semelle l'empêchait de réfléchir : " Eh oui ! Je réfléchis comme un pied... " Il se tapit dans un coin et gratta voluptueusement sa plante meurtrie, puis croisa les genoux et balança sa jambe nue comme on balance un encensoir, visant la première étoile qui venait d'apparaître dans un ciel en peau de chamois, ZINGNE ! l'étoile disparut entre son gros orteil et le tronc d'un baobab rachitique que l'Emir avait fait planter sur place, par nostalgie peut-être.

Le vent était tombé et la fumée devenue si dense qu'elle léchait la ville comme un brouillard marin. Les fenêtres de l'Alhambra s'étaient allumées, les musiciens avaient déjà envahi la cour des Lions, les tours carrées disparaissaient dans l'ombre, les cyprès se tenaient comme des soldats anglais.

Deux fois encore Imroul Kaïs traverserait le palais

andalou, une main sur le sabre, l'autre sur le cœur ; au-dessus de sa tête des arcades vivantes, sculptées comme mie de pain, racontent la légende des trois sœurs ; dans la cour des Arrajânes un étang se crispe, nerveux sous les jets irréguliers des Douze fontaines.

Des cuisines, tout à l'heure, lui parviendra une odeur d'agneau rôti ; l'eau des bains, dans le sous-sol, est tiède comme le sang, et le stuc embrasse les céramiques azurées, les hirondelles ne volent plus, perchées sur les créneaux, et voici Tarafa qui vient le relever. Imroul... »

— Avec un nom pareil moi j'irais pas en affaires !

MARIETTE : Té plate, Mireille, envoye donc !

MIREILLE : « Imroul descendit vers la ville en boitillant légèrement ; une gitane âgée... »

MARIETTE : As-tu une cigarette ?

MIREILLE : T'es plate, Mariette !

MARIETTE : Mes seins sont plus gros que les tiens !

MIREILLE : Avant lundi Thomas D'Amour me les aura tâtés.

MARIETTE : Tu veux le punir de ce qu'il écrit ? Voye !

MIREILLE : Recommence pas.

MARIETTE : On dirait qu'il est trop cultivé, c'est peut-être ça ?

MIREILLE : « ... Une gitane âgée lui offrit une orange qu'il prit machinalement, crachant le plus loin possible l'écorce après l'avoir mordillée pour en extraire le parfum amer ;

il s'en frotta même le ventre et jusque sous les

aisselles ; parfumé et sucré, il cherchait à ne plus penser et pourtant ça doit être merveilleux de faire l'Amour avec une punie : une femme habitée qui se souvient de la Toupie, du temps des cavernes, qui a dans les narines ces odeurs de banquet.

(Imroul est un soldat encore jeune dont l'air grave est accentué par des cheveux noirs à peine frisés, des lèvres taillées au rasoir, des yeux)... et si c'était les yeux ?

La rue descendait soudain de façon abrupte et Imroul se laissa aller, les épaules en moignons d'ailes, de ses genoux tentant d'éviter les pavés grossiers dont plusieurs étaient encore pointus ; il chantonnait ; " cela reste un problème qu'il me faut résoudre ce soir ; que tous les Punis s'identifient ! Non. C'est dangereux comme l'étoile que l'on piquera aux manteaux des déportés de la nuit et du brouillard. Il ne faut pas imaginer un uniforme, une décoration, une coupe de cheveux étranges pour que nous nous distinguions des hommes, il faut que je sache reconnaître un Puni au premier coup d'œil sans qu'il consente à s'attacher un ruban jaune au poignet. Reconnaître un Puni... " une pluie fine comme buée d'alcool commença de tomber, Imroul pressa le pas, la tête haute, les mains tendues : " l'on peut toujours reconnaître un Puni à la façon dont il marche sous la pluie, mais il ne pleut pas toujours, et puis dans les maisons ? "

Imroul tourna le coin de la rue qui croise le Paseo de los Tristes, où l'on fabrique des guitares, salua un artisan qu'il aimait bien, le regarda travailler, lança négligemment : " Ça te dit quelque chose, toi, la Toupie du Temps ? " Mais l'artisan répondit non, qu'il ne connaissait pas. Imroul se dit qu'en effet il n'avait pas l'allure d'un Puni, seulement celle d'un bon artisan qui connaît bien le bois, la colle, les cordes, la musique et lui souhaitant bonne nuit partit en courant vers la demeure de Tarafa qui serait de garde jusqu'au matin et dont l'une des femmes l'intriguait, lui chatouillait le cœur comme un épi d'avoine chatouille le nez. »

MARIETTE : Mais ça devient cochon !

MIREILLE : T'excite pas ma grosse ! Avec Thomas D'Amour, t'es dans les bons sentiments... de toute manière son érotisme m'appartient dorénavant.

MARIETTE : T'as des droits d'auteur ?

MIREILLE : C'est toi-même qui...

MARIETTE : Je te ferai remarquer que je n'ai pas bronché quand tu m'as annoncé ton amour pour *notre* Auteur.

MIREILLE : C'est vrai que t'aurais pu applaudir, d'abord c'était une découverte... *Notre* Auteur ! ? Comment ça ?

Mariette est plus petite que Mireille, plus grassouillette aussi, débordante d'énergie et de rires. Toutes deux sont maintenant face à face, debout, griffes dehors, de chaque côté de la table, comme des poules qui revendiquent un droit de passage.

MARIETTE : C'est pas passe que tu tapes son manuscrit qu'automatiquement tu peux tel taper lui aussi ?

MIREILLE : C'est pas une question d'oreiller, surplis de batèche ! Je t'ai dit que je l'aimais, depuis trois mois sacrament qu'il m'est rentré dans le cosinus. Je ne le savais même pas.

MARIETTE : Cortex.

MIREILLE : Késéque tu veux que ça me fasse ! Cosinus. Cortex. Je ne te dis pas qu'on ne le partagera pas un jour, Thomas D'Amour, je te dis que je suis piquée. Ce qu'il écrit, c'est pour moi qu'il l'écrit, tu vois pourquoi ça me pogne aux tripes ?

MARIETTE : Je pense qu'il peut t'aimer, à la rigueur...

MIREILLE : J'ai peur pour lui.

MARIETTE : Tu le soigneras, s'il a la littérature malade. Tu appelleras un critique à son chevet ; vous lui donnerez un lavement ; quelques livres américains en poudre dans du... qu'est-ce qu'il boit au juste ?

MIREILLE : Tu vois, je ne le sais même pas.

MARIETTE : Bon bien arrange-toi avec tes troubles, mais faudrait te brancher : à notre âge...

MIREILLE : Parle pour toi !

MARIETTE : Saint Simonaque ! T'as vingt-quatre ans !... faut savoir ousékon va.

MIREILLE : Tu vas me lancer l'Histoire de la littérature dans la face ! Je sens ça venir.

MARIETTE : Eh bien houi ! Nous avons fait un pacte, faut s'y tenir. A nous deuses, à ce jour, nous avons étudié un dramaturge, trois poètes et un critique (*elle compte sur ses doigts*).

MIREILLE : Et un romancier.

MARIETTE : Maudit je l'avais oublié ! Faut dire que son livre, c'était pas vargeux... sa verge ?

MIREILLE : C'est pas parce que je couche avec un écri-

vain que je lui fais passer un examen oral chaque
fois. Il faisait des fautes de français, au début ;
ensuite j'ai corrigé, raturé, une étreinte, une passion,
c'était bien. C'était bien correct.

MARIETTE : On devrait se faire un tableau, comme dans
un manuel, tu vois, avec la date de naissance de
l'auteur, puis celle où il a commis le péché d'impureté en notre compagnie.

MIREILLE : Quelles sont les principales occasions qui
conduisent à l'impureté ?

MARIETTE : Les mauvais compagnons, les mauvais livres,
les mauvaises danses, les mauvaises fréquentations,
les mauvais programmes du théâtre et de la radio,
les boissons enivrantes et les vêtements immodestes.

MIREILLE : Quand est-il permis de regarder ou de toucher les parties sexuelles du corps ?

MARIETTE : Quand c'est nécessaire pour la propreté ou
à cause de la maladie.

MIREILLE : Késéssa !

Mariette a transporté dans la cuisine un panneau de
contreplaqué qui traînait dans sa chambre, avec une
plume feutre elle a tracé six lignes, sept colonnes
parallèles, Mireille griche des dents.

MARIETTE : T'as des vers ?

MIREILLE : C'est le bruit, ça, une craie sur un tableau
noir, un ongle dans une vitre, un bâtonnet de fud-
gicle séché, tu vois ? Dites ahhh...

MARIETTE : Ici : l'Héritage symboliste... attends ! D'a-
bord un titre général, merci Petitchamp, " des grands
aînés aux poètes du pays réinventé "...

MIREILLE : Ça baise, des grands aînés ?

MARIETTE : Je pourrais prendre les poètes " de la grâce, de la fantaisie et de l'humour ".

MIREILLE : Moi, le lyrisme, ça ne me fait pas mouiller ben gros : je pourrais tchèquer le teillâtre.

MARIETTE : Oké. T'as le premier choix : romanciers du terroir, un, d'analyse-critique-sociale, deux, nouveau roman symbole, trois.

MIREILLE : Mon Thomas ?

MARIETTE : Dans la dernière colonne.

MIREILLE : M'en sacre, je commence par lui.

MARIETTE : C'est correct, mais disons qu'on se donne un an, toipimoi, pour passer à travers la littérature d'ici, systématiquement, on lit au lit.

MIREILLE : Un jour le Doyen va nous accorder un doctorat clitoris causa. Excuse-la. *(Elle rit.)*

MARIETTE : Evidemment, les auteurs féminins et les pédés posent un problème sérieux.

MIREILLE : On fera ça en une séance, un gros pot party ! Tu vois le genre ?

MARIETTE : Bon ben t'as fini de me lire son texte ? Alors je peux te dire qu'à mon avis...

MIREILLE : Non. Pas fini on va se rendre au

QUATRIÈME CHANT

— Tu fermes ta gueule oké ? Ecoute :
  « La bruine devenait glacée, Imroul éternua ; le vent

rabattait dans les cheminées les fumées bleues d'eucalyptus ; transi, il s'approcha de la fenêtre des femmes qui, à cette heure, nettoyaient les plats du dîner.

L'une des six est une Punie disons, se disait Imroul, je préférerais que ce fût la plus grande, mais peut-être n'est-elle qu'une femme ordinaire qui se rappelle à peine son enfance et dont les rêves s'entassent contre la porte de la Mort.

L'une des six
connaît la poussière d'étoile.

Leurs yeux ! Si je pouvais voir leurs yeux, levez le nez ! Je gèle ici, Imroul va crever d'une pneumonie, ah ! les garces ! Il éternua, se ressaisit :

Voilà ce que je ferai : je vais à la porte, le gardien me reconnaît, je dis : Tarafa, mon ami, a oublié quelque chose qu'il m'a prié de venir chercher pour lui, ou alors vous enverrez l'une de ses femmes le lui porter, c'est très important, Tarafa insiste.

Qu'est-ce que c'est ? demandera le gardien à qui je répondrai : tu ne comprendrais pas, mène-moi aux femmes... il hésite, puis il se dit après tout, elles travaillent à l'office, elles ne sont pas dans leurs appartements, Imroul est un ami du Maître, allons-y .

Les femmes continuent de récurer les plats comme si de rien n'était. Allah est grand, murmure Imroul, le gardien marmotte quelque chose, elles rient, puis jettent des regards furtifs vers le guerrier étranger qui se tient dans l'encadrement de la porte, éclairé comme un bal, les cuisses tendues dans sa culotte de cuir, sa robe nouée à la ceinture. »

— C'est délicat, dit Mireille.

— Je pense que vous avez là un morceau de choix, insiste Mariette en faisant l'oie.

« " Je cherche, dit brusquement Imroul, celle d'entre vous qui sache dessiner la Toupie du Temps. " Les femmes se regardent, surprises comme des couventines... leurs yeux ! Puis-je deviner à leurs yeux ? Leur voix peut-être, le ton de leur voix ? Ou bien n'y aurait-il AUCUN signe extérieur ?

" Je dois, ajoute Imroul, amener sur les murs de garde où marche Tarafa celle qui peut dessiner... "

L'une se lève soudain, tendre comme une pousse de fougère, et lance à Imroul : " Amène-moi ! Les autres se taisent parce qu'elles ne comprennent pas. " Et quand la porte se referme la nuit baleine avale Imroul Kaïs et Manât la biche qui le suit pas à pas. »

— Watche-toi ; voici voilà de la poésie ; ça gazouille !

« Le surlendemain leurs chevaux couraient encore.

La pluie avait depuis longtemps cessé.

Le soleil creusait ses sillons dans la poussière des étangs asséchés.

Le vent polissait
patiemment
les rochers.

Tarafa doit s'inquiéter, à Grenade, pensa Imroul. Nous aurions pu nous battre loyalement pour Manât, mais il aurait cru défendre l'une de ses six femmes, nous aurions saigné inutilement.

Je suis épuisé, je ne comprends pas bien les desseins du temps, je vais m'allonger comme une flèche oubliée...

"Manât, si nous étions dans le désert, je ferais ton portrait d'une boule de sable pétrie avec le lait de ma chamelle... "

Imroul mit pied à terre car les chevaux n'en pouvaient plus, écorchés sous les selles, en nage, les naseaux dévorés par les mouches du midi. Il fallut les nettoyer, les bichonner, les peigner avant de les laisser paître sous les acacias où pousse une herbe tendre mais rare comme un ciel bleu à San Francisco.

Manât s'est endormie pendant ce temps, je n'aurais jamais pu deviner à la regarder qu'elle venait elle aussi de l'Espace, nous sommes comme des milliers de fruits sur les étals du marché nous sommes des loches timides dans la rivière, comment nous reconnaître ?

Imroul Kaïs souleva Manât dans ses bras musclés et se dirigea lentement, sans la réveiller, posant ses pieds sur des pierres plates, vers un abri que la rivière avait rongé dans le calcaire. Le soleil, à travers les arbres, lançait des éclairs chauds comme une cotte de maille effleurée par un sabre maladroit. Et, sans raison, Imroul, portant Manât en couronne sur un coussin de soie, chante ces vers d'Antara :

Que de fois
j'ai laissé étendu dans la poussière
le mari
d'une femme très belle
en lui ouvrant les veines du cou

par une blessure
semblable
à une lèvre fendue.

Les chevaux beiges et blancs d'Imroul veillaient comme chiens de chasse, courant ici et là pour éloigner les vautours et les corbeaux, hennissant au moindre bruissement de feuille, soufflant vers les nuages pour que les derniers rayons du soleil réchauffent les parois de l'abri qui peu à peu devenait couleur de vin, de sang, d'encre, de suie... »

                   — Ostie, c'est pas fini, mais c'est assez.

MARIETTE : Bon ben c'est pas si pire que tu me disais.

MIREILLE : Ouais. Vouais. Peut-être.

MARIETTE : Tu lui téléphones ? Tu lui chantes la pomme ?

MIREILLE : Pas tesuite. J'en ai encore pas mal à taper. Je suis nerveuse aussi. On va se baigner ? Ça me calmerait.

MARIETTE : J'ai pas fini de digérer ma banane. Tout à l'heure si tu veux.

MIREILLE : Tu trouves pas que ça sent la poussière son manuscrit ? Thomas D'Amour, né le vingt-sept novembre mille huit cent trente-trois, au son du violon, dans une oasis, au clair de lune, cheveux grisonnants, plume alerte... Mariette, pourquoi je l'aime ?

MARIETTE : Comment sais-tu que tu l'aimes ?

MIREILLE : J'ai la curieuse impression qu'il occupe tout

mon espace et mon esprit ; la sensation de l'avoir connu depuis toujours aussi.

MARIETTE : Mais, sacrament, t'es une Punie !

MIREILLE : Me fais pas chier, Mariette ! Nous sommes la salive de Dieu, une goutte d'éternité, nous aurions pu choisir les oiseaux et nous aurions volé ! Mais non ! On s'est fourré ! Epis c'est pour ça que t'es rienk'une guenon qui parle !...

Mariette lui arrache le manuscrit des mains, ouvre la porte qui mène à l'ascenseur et dans l'écho du marbre de plastique des corridors lit à voix haute, comme un orateur en campagne :

« Je me demande souvent où va l'humanité, et cependant je suis l'un des rares êtres à savoir d'où elle vient : ce n'est pas pour un vase d'or, une assiette de faïence grise, du sel, des ivoires ou même des épices que l'on se fait face en plein champ de bataille, turban noué serré, cimeterre levé, sur un cheval fou les flancs piqués ; les ennemis fuient, on égorge les survivants, j'ai essuyé le chimchir sur ma veste ensanglantée... »

Mireille réussit à fermer la porte. Mariette se retrouve seule dans le corridor, lui crie par la serrure de la laisser entrer.

— Si t'arrêtes de m'achaler, lui répond Mireille.

— J'arrête.

— Promis ?

— Juré craché ma plotte ! Je te laisse travailler.

CINQUIÈME CHANT

« Manât dit :

... Je fis un rêve cette nuit-là : je me promenais les pieds devant, la tête enfouie sous un bandeau, les yeux tournés vers un compas intérieur, j'étais à bord d'une plate-forme mue par des gaz hilarants, rouges et gris, qui s'échappaient de dessous le siège comme autant de chenilles à tente chassées par une guenille enflammée dans un cerisier. Un énorme éternuement secoua les demeures comme si le vent était poivré ; les palais se lézardaient, des vagues incolores tourbillonnaient, et les notables agitaient des drapeaux avant de mourir car, regardant vers les cieux, ils avaient aperçu leur propre image dans la coque en miroir de mon vaisseau interplanétaire.

Imroul Kaïs boit les paroles de Manât, fasciné par une certaine lumière qu'elle a aux joues, la teinte de sa peau peut-être, des gestes qu'elle fait, paumes ouvertes, comme pour affirmer ses lignes de vie. Ils sont assis face à face ; entre eux, sur une feuille de bananier, des raisins secs, des abricots frais, des mangues et une grenade qu'elle grignote.

— Au commencement tu étais...

— Parmi les anges du Verseau ; mais, comme tu sais, nous ne nous sommes pas entendus, à chaque explication demandée nous avions droit à des discours interminables sur l'Obéissance.

— Comment as-tu fui ?

Manât se lève, gracile, et avec un demi-fruit,

dessine la Toupie
du Temps
en gros traits sucrés sur le mur de l'abri... »

— Mau-
dit que j'ai sommeil ! Mariette ! Quelle heure, mon
chou ?

MARIETTE : Onze heures douze minutes, good morning,
pis c'est samedi toute la journée. J'ai fini la lessive.

MIREILLE : On va à la piscine ?

MARIETTE : On se douche avant ! Première nue première servie !

MIREILLE : Chaude ou froide ? Tête ou bitche ?

MARIETTE : Fais ça avec un trente sous, poil chaude,
fesses froides.

MIREILLE : Tu me détaches ça ? Non... laisse tes mains
dormir sur mes hanches... j'ai engraissé tu ne trouves
pas ?

MARIETTE : Tu as le corps d'un garçon de douze ans.

MIREILLE : Mépas de petit Jésus !

MARIETTE : Je t'embrasse ?

MIREILLE : Mariette D'Amour !

MARIETTE : Regarde : ma bouche ouverte, je fais sisi
dans la baignoire, tu te tiens sur le tapis, ouvre les
jambes, fais couler l'eau doucement... *(Drigne !)*

MIREILLE : Yal téléphone qui sonne sacrament !

MARIETTE : Bon bien va répondre, je me laverai toute
seule.

MIREILLE : Egoïste !

MARIETTE : Ça sonne... le devoir d'abord.

MIREILLE : Si tu penses que ça m'amuse de sortir de

51

la baignoire ! C'est bien parce que chus deboute ;
maudit ! La fenêtre est ouverte ! Je vais me geler le
cul ! J'ai pas ma robe de chambre, je peux quand
même pas me mettre le tapis sul dos, j'aurais l'air
d'un chameau, si Imroul me voyait !

MARIETTE : Il t'achèterait pour ensuite aller te vendre
à Jérusalem sartain... *(Drigne !)* Tu réponds ou tu
brailles devant le mur des lamentations ?

MIREILLE *(elle décroche le téléphone et se met en boule
pour ne pas avoir froid ; de l'eau dégouline le long
de son épine dorsale)* : Allô !

MARIETTE : Qui c'est ?

TÉLÉPHONE : Allô ? pourrais-je parler à mademoiselle
Mireille ?

MIREILLE : C'est moi-même en personne ! J'écoute.

TÉLÉPHONE : Ici Thomas D'Amour. Je voulais savoir si
vous aviez bien reçu mon manuscrit.

MIREILLE : Oui, oui.

TÉLÉPHONE : Avez-vous des difficultés particulières ?
Vous l'avez lu ?

MIREILLE : Bien sûr.

TÉLÉPHONE : Et puis ?

MIREILLE : ...

TÉLÉPHONE : Vous n'osez porter un jugement ?

MIREILLE : J'ose ! J'ose !... Si vous voulez le savoir,
votre manuscrit, à mon avis, c'est dans le genre
chiant décadent, poésie de bord de mer, comme ce
que tout le monde écrit en vacance à Percé, ou au
retour d'un voyage dans les Uropes, vous voyez ?

TÉLÉPHONE : Ahhh...

MIREILLE : Mais ça fait rien, je vai taper quand même passe qu'après toute, c'est votte texte, vous le signez *vous* ; moi, je ne suis que la secrétaire dans toute cette affaire. Je n'ai pas le droit de penser... je suis la quatrième roue, la barouette...

TÉLÉPHONE : ... Mireille !

MIREILLE *:* Je ne veux pas influencer votre Œuvre. Votre apport à la littérature locale est déjà bien lourd, je comprends que vous ayez senti le besoin de secouer les chaînes, de ne pas devenir victime de votre public lecteur.

MARIETTE *(de la baignoire)* : C'est qui, Mireille ?

MIREILLE *(la main sur le récepteur)* : Achale-moi pas ! *(à Thomas D'Amour)* : Vous me comprenez, n'est-ce pas ?

TÉLÉPHONE : Mais alors... mais alors... pour quel public ?

MIREILLE : Ecoutez ! Je n'ai pas fait d'études de mar-ché ! Et puis-je vous confier que je suis pour l'instant *nue* dans la fenêtre ouverte ? Je vais attraper mon coup de mort, c'est sartain, j'étais sous la douche quand vous avez téléphoné, une douche chaude !

TÉLÉPHONE : Excusez-moi.

MIREILLE *(elle hésite)* : Bon, pour votre livre, je me sens un peu coupable..., ptête que je me suis tr ɔmpée.

TÉLÉPHONE : Je peux venir tout à l'heure, après déjeu-ner ?

MIREILLE : Je vous attends, monsieur D'Amour. *(Clic, elle dépose le combiné.)* Ouaou ! Mariette ! Viens me préparer, je vais ouvrir tout à l'heure le chapitre des romanciers symboliques. MARIETTE ! Tu dors ?

53

MARIETTE : J'étais si bien dans l'eau tiède, comme une tortue-éponge, la sécurité parfaite. C'était Thomas ?

MIREILLE : Yé inquiet, il accourt. Je suis inquiète à mon tour... Mé men va lui mettre les mains.

MARIETTE : Jeux de vilains ! C'est un peu facile : t'es pas laide, ma rousse, tu te passionnes pour ce qu'il écrit, je vais vous laisser l'appartement vide.

MIREILLE : T'es ben fine.

MARIETTE : Tu lui diras : monsieur, les médiocres copient, les génies plagient.

MIREILLE : Déal... Mariette. Je ne t'ai jamais demandé ça, mais ça me botte à matin, tu as de l'huile de bébé ?... partagerais-tu une saucisse hongroise ? Pour fêter les mouches ?

MARIETTE : A cette heure-ci ?

MIREILLE : C'est un symbole sessuel, viens voir *(elles vont au réfrigérateur)*... avec de l'huile Baby's own, comme ça, je me la mets ici.

MARIETTE : Pis moi ?

MIREILLE : Tu te tiens bien, sans ça une des deux va se retrouver avec de la viande danl vagin.

MARIETTE : Ça fait du bien.

MIREILLE : Mais ça sent fort.

MARIETTE : C'est dur faire ça debout, viens te coucher... Tu sais on est comme ça dans la famille, nous autres, on ne couche qu'avec des étrangers, des Italiens, des Espagnols, n'importe quoi, ma mère, ma grand-mère, mes sœurs, elles disent que les hommes d'ici valent pas leur pesant de couilles.

MIREILLE : Tu me fais mal, faudrait de la mayonnaise.

MARIETTE : La prochaine fois je t'achète une saucisse musicale.

MIREILLE : Tu me joueras une valse viennoise ?

MARIETTE : Danl cul, la valse viennoise !

MIREILLE : C'est ce que je disais... Mariette, ferme les yeux, parle pu, comme ça c'est mieux...

MARIETTE : En cadence. Après, on finira ça à la main ?

MIREILLE : Comme un manuscrit... ! Chrisse ! Thomas s'en vient ! Epi j'ai pas fini ! Tant pis on se reprendra, je m'excuse, j'ai besoin de mes dix doigts, selon la méthode du frère Albert Saint-Yves, c.s.c.,

MARIETTE : Excuse-toi pas, je ferais pareil si j'étais toi... C'est peut-être l'homme de ta vie.

CHANT SIXIÈME

« Tu ne regrettes rien ? demande Manât.

— Bien sûr : la liberté que j'avais de mes mouvements dans l'espace, le contrôle du temps. Mais aussi un pur esprit n'a pas de plaisirs.

Imroul parle des cavernes de son enfance, il s'approche à genoux de Manât qui continue de manger, détache son manteau, puis soulève sa robe jusqu'aux seins qu'il caresse des doigts et de la bouche, s'attarde sur son ventre tendu comme papier de cerf-volant, elle l'attrape soudain par la nuque, ils vont ensemble vers le muret, remontent la pente du cours du temps, battent la mesure cuisses à cuisses, perdant conscience de ce qui les entoure ; les chevaux peuvent bien hennir, piaffer, courir, Imroul et Manât sont partis dans les déserts de mica et des prairies d'orchidées, ils se souviennent de voyages sans fin sur la mer, à bord de galères lentes qui allaient à Rome comme des tortues géantes ; l'eau bleue comme une pierre ; les rames pénétraient les flots comme je te pénètre, nous sommes plus essoufflés que le zèbre poursuivi par un guépard, tes flancs serrés entre mes coudes, il y eut dit-il des Phéniciennes, et des cités lacustres où nous nous aimions au bruit des vagues.

Plus tard,

mais avant le coucher du Jour,

ils grimpèrent, se tenant par la main, sur un paquebot d'ardoises afin de voir, d'un seul coup, toute la vallée que Beelzébuth avait jadis offerte à Jésus. Cependant qu'elle tenait ses cheveux à deux mains à cause du vent, le front encore humide, les yeux plissés, lui faisait des photos en noir et blanc au flash électronique avec un polaroïd noir et beige, il comptait en chiffres arabes, 1, 2, 3,... 9, 10, détachait des papiers croustillants, elle s'exclamait chaque fois, et riait très fort.

Lui accumulait dans la poche de sa veste des paysages et des portraits comme tickets de métro. »

— *Je ne comprends plus.*

« Quand vint la nuit, entre chien et loup, à la brunante, ils redescendirent vers le terrain de camping en contre-bas, coupèrent à travers champs labourés, sautant par-dessus des clôtures de cèdres ou de broches rouillées, se fiant aux marques des voitures stationnées pour retrouver leur chemin et leur tente devant laquelle brûlait inutilement une lampe au Kerosène, comme celles des vieux corsaires. Ce soir, se disait-il, nous aurons chaud et nous lirons à la lueur des braises le journal et les quelques lettres qu'un facteur en camionnette rose distribue, zigzaguant à travers les pins qui dominent la mer. »

— *Eh bien bravo, monsieur D'Amour, Bravo!* Vous gagnez le prix de l'escamotage. Je trouve ça même plutôt fort en ketchoppe vert de passer d'un fils d'Allah à un campeur ordinaire sans prévenir les parents ni les amis. Ça méritait pourtant une carte postale! Pourquoi pas nous apprendre maintenant que LUI c'est Dieu le père, ELLE le Saint-Esprit, et que dans leur Chrysler blanche décapotable ils déambuleront demain dimanche, de l'Eglise Notre-Dame à l'Oratoire Saint-Joseph, 7 ans et 7 jours d'indulgence ?

MARIETTE : Tu crois que cette robe me va vraiment ?

MIREILLE : On te devine de partout sous le tissu fleuri, ça donne envie de jouer à l'écureuil.

MARIETTE : A quelle heure je reviens ?

MIREILLE : Quand t'auras fini les courses, chus openne comme une canne de binnes, on se mettra à trois c'est toute.

MARIETTE : Tu sais que les écrivains, moi je trouve ça botte ?

MIREILLE : Moins leurs bibites !

MARIETTE : Toudelou Mireille !
MIREILLE : Salut putain...

« Le camping est situé dans une grande clairière
entre un gouffre créé par une implosion marine et la
plage où viennent à cette heure des chiens de ville
à la chasse aux crabes. *J'ai faim.*

Les canons, à la barrière principale, ne sont que des
décorations symboliques noyées de peinture anti-
rouille jusque dans leur moindre jointure. (Par contre
les mitrailleuses cachées dans les tours de guet sont
défaites, nettoyées, huilées, rassemblées tous les jours ;
on ne sait jamais : le temps du gouvernement Topless
est arrivé, et la neige ne couvrira pas les traces de tous
les petits chefs qui sont nés d'Octobre, anxieux de se
faire un nom, profiteurs, appuyés par les forces de
l'armée, dénonciateurs, hier terroristes terrorisés.)

Les campeurs sont armés de fusils et de couteaux
de chasse. J'ai faim. Mais aussi des enfants courent,
crient, rient, se bousculent dans les fourrés.

Et, le matin, *j'ai faim,*
les toits bariolés des tentes dans le soleil

Les fumées de braises, j'ai faim, qui ont rougeoyé
toute la nuit, le va et vient de ces géants barbus et de
ces jeunes femmes en pyjamas multicolores, le cri
d'oiseau de la pompe où l'on va chercher l'eau potable
J'ai soif aussi la poussière de sable même qui s'élève
déjà comme une brume nordique

donnent l'impression d'habiter un campement arabe

perdu entre le Nil et l'Euphrate... »

— Bon ! dit Mireille,
Il va me dire qu'il finirait bien ses jours en Provence,
il a l'Andalousie jalouse, et la Méditerranée comme une
nostalgie. C'est le lot des boursiers, les prix de Rome
paraît-il ne s'en remettent jamais, et le prix gagné il
leur faut le transformer en fromage et vin blanc. Moi
je vais de ce pas me chercher un sandwiche aux œufs
mayonnaise Kraft, des tchippes barbecues et puis un
coke, j'enfile dans ma jupe de laine une blouse ajourée
des grands jours, mes sandales en bois de rose, je fais
face au monde, moi, je ne m'enfonce pas dans des
marais littéraires, des sables d'excuse, faut pas que
j'oublie ma clef épis mon argent, je laisse sur la table
son nostie de manuscrit, qu'il jaunisse un peu, qu'il
varicelle, exzéma de cerebrum !, l'ascenseur-élévator,
down en bas, close doors fermez portes, no smoking
please défense de fumer, second floor deuxième étage,
films developed in 5 hours vos films prêts en 5 heures,
Classy's Snack-bar restaurant chez Classy's, chez Pit's
place, sandwich au jambon ham sandwich .45, sandwich au saumon salmon sandwich .65 sandwich aux
œufs eggs sandwich .40 cents c'est ça que je veux merci
thank you come back au revoir, sacrament mon coke !
T'as pas de patates ?

(Mireille est revenue à l'appartement, croquant le
pain, mastiquant avec fébrilité.)
Donc je l'aime. Moi qui n'ai jamais voulu aimer :

Mireille, silencieuse et calme comme le miroir du bonheur. La ville a repris souffle, la lumière se glisse partout, il est bientôt deux heures ; dans ma tête chantent tous les coucous de la forêt noire qui ont trouvé refuge dans les portiques, les salles d'attente et les cuisines du Kébek.

Chus toute décocrissée, murmure Mireille. L'amour me décocrisse c'est ben simple, je me sens comme une fille au pensionnat dans son premier uniforme empesé : toute heureuse mais ben pognée. Le cou râpé. Comme une lettre sur du papier ministre avec la marge du mauvais côté.

Elle prend un crayon, un bout de papier, dessine des arabesques, des dagues, des cercles carrés, des étoiles... dites *bonheur*, pense-t-elle, ou plutôt écrivez-le lentement avec du savon humide, tous les matins, dans la glace de votre salle de bains, dites bonheur à voix haute le midi et la porte sonnera, un Emir ému vous sourira !

— Bonjour Thomas D'Amour !

— Salut !

— Restez pas sul paillasson vous zavez l'air d'un butor qu'est pas arrivé en ville...

— Mademoiselle ? dit Thomas.

— Si vous voulez passer au salon que je vous examine ; on appelle ça un salon rapport à Mme de Sévigné.

— Mais... nous sommes seuls ? demande alors Thomas.

— Ça te fait peur mon chou ? Mariette est à l'épicerie, chaque semaine nous tirons à la courte paille les travaux ménagers.

— Et vous avez gagné de dactylographier mon roman ?

MIREILLE: Ça, épis de nettoyer les bécosses !

THOMAS : Ah.

MIREILLE : Ah.

THOMAS : Je n'avais jamais remarqué qu'on pût voir le dôme de l'Oratoire d'ici.

MIREILLE : Vous ne remarquez pas aussi que ça sent l'cul icitt ?

THOMAS : Non, je regrette.

MIREILLE : Vous inquiétez pas, de toute façon c'est le champou à Mariette qui sent ça, a s'est lavé la tête avant d'aller au village à matin, je voulais vous prévenir auka que vous auriez eu des doutes. Pour ce qui est de votre manuscrit...

THOMAS : Décadent, avez-vous dit ?

« que la voix du Kébek soit
une bombe d'amour »

ACT TWO

OU L'AUTEUR AURA ENFIN L'OCCASION DE SE DÉFENDRE
MAIS AUSSI DE VÉRIFIER LES QUALITÉS SOUVERAINES DU
MATELAS POSTUREPEDIC DE SEALY CAR MIREILLE EST DE
COMMERCE AGRÉABLE MALGRÉ DES ÉCARTS DE LANGAGE
QUI FONT PENSER A UN JOUAL QUI SE CABRE QUAND UN
CHEVAL EST ATTAQUÉ DONC L'AUTEUR VA TENTER UNE
VERSION AMÉRICAINE POUR PLAIRE A MIREILLE QUI
TRANSPORTERA DOUZE CANETTES DE BIÈRE GLACÉE DU
FROMAGE D'OKA Y ZAURAIENT FAIM DU PAPIER LA MA-
CHINE A ÉCRIRE QUI ÉCRASERA L'OREILLER LES JAMBES
REPLIÉES A L'INDIENNE CEPENDANT QUE L'AUTEUR GRIF-
FONNE RELIT DÉCHIRE DICTE COPIE ÉCOUTE PÈTE MANGE
BOIT ÉCRIT MIREILLE DANS CETTE POSITION CRÉE LE
MOT TAPUSCRIT DE TAPER A LA MACHINE ET DE MANUS-
CRIT LE FRUIT DE LEURS ENTRAILLES EST BÉNI MAIS
MARIETTE REVIENT A TEMPS POUR LEUR RAPPELER QUE
LA CUISINE A L'AIL VAUT BIEN LA LITTÉRATURE AU LIT

Je ne sais pas pourquoi, pense Mireille, déroulant le ruban de papier de son crayon à effacer, le cassant sec entre ses dents fermes, je ne sais pas pourquoi Thomas D'Amour et ceux de sa caste me donnent envie de crucifier l'imparfait du subjonctif. Dès qu'ils ouvrent la bouche, comme une fenêtre trop grande, je voudrais leur fourrer au fond de la gorge un mot juteux, un mot mouche justement, un mot de rue, un mot bon, pas un bon mot, un mot au fenouil, un mot scotch, un mot poivré comme j'aime les Bloody Mary, un char de mots dans la gorge douze par bancs, puants, parfaits.

Je le regarde, pense Mireille, il est là, assis depuis près d'une heure, le front plissé, comme une jambe de pantalon à repasser, l'œil soucieux. Exactement, en fait, l'air qu'on porte comme des lunettes au Département d'Etudes françaises qu'est un genre de département store de l'imprimé, troisième étage ! Seizième siècle, robes classiques, réfection de la pensée, style Renaissance, cinquième étage ! Disques de trouba-

dours! Vieux meubles imparfaits! Huitième étage!
Parfums romantiques, tout pour les classes, robes de
chambre fleuries, auteurs tuberculeux! Dernier étage,
tout lmonde débarque! Et quand ils débarquent, ils
ont l'allure d'un saumon qui revient d'en haut de la
rivière, la poche à terre.

Avec ta gueule triste, mon beau Thomas D'Amour,
tu pourrais diriger un séminaire au Département, tu
pourrais mettre un côtaqueu en te levant le matin,
ça te ferait la queue du mauvais bord, mais le plastron
fort, retenu par des boutons couleur perle t'irait bien.
Le pire c'est que tout ça! c'est de ma faute! de ma
très grande faute! Sacrament de bordel pourquoi j'ai
pas fermé ma gueule? Steumanie de se prendre pour
un critique aussi! Heille! Un critique qui couche avec
un écrivain, ça arrive? Barnaque j'aimerais voir ça!
T'accouches mon Thomas? Ça vient?

— Heu? dit Thomas.

— J'ai dit ça vient? dit Mireille.

— Ouais, ça vient, dit Thomas D'Amour qui songe:
je lui ai promis de tout recommencer à zéro.

Il se gratte le nez du bout de son stylo mordillé.
Mais c'est plus facile à dire qu'à faire. Est-ce tout
simplement une question de décor? Ou est-ce que ses
jérémiades vont plus loin? Elle ne manque pas de
jarnigoine, ni d'intuition.

Mais, pense Thomas D'Amour, si je retire le bouchon
de la baignoire où dort la Méditerranée, ohé, ohé, je
laisse sur le sable des huîtres qui meurent dans un
lavabo sec.

Donc, j'ouvre le second robinet et c'est l'Atlantique qui coule à gros tourbillons ; nous sommes à Boston où la sauce tartare enveloppe les fried clams, je remets le bouchon. Qu'est-ce qui flotte dans l'eau du récit ? Un canuk ?

— Je voudrais, dit Thomas D'Amour, regardant Mireille dans les yeux puis les baissant parce qu'elle ne sourcille pas, je devrais placer en introduction une théorie de l'écriture qui prouverait qu'écrire un livre, voyez-vous, est un acte semblable à celui de prendre un bain.

— Donc ? dit Mireille.

— Donc je me lave les pieds, le nez, les oreilles, le dos...

— Alouette ! dit Mireille.

— Justement, répond Thomas, nous allons plumer les personnages, un à un. J'avance sur une bille qui flotte. Je ferme les yeux, je dicte, vous notez tout, nous corrigerons plus tard comme on nettoie un champ de fraises.

Ready ? Steady... Go !

« Rosemont transpire.

Les otaries sont essoufflées. Un ours blanc, le poil humide et collé aux flancs, rêve de piscines glacées. Les gratte-ciel suintent.

— Va, va mon chien Loup, va voir...

Du plus profond de la nuit chaude bondit soudain un animal féroce, encouragé par une voix douce et ferme... Va ! L'animal s'avance prudemment dans la cour arrière d'une petite maison de briques striées, flaire le vent, saute sur un palier à deux marches du sol où le corps cassé d'un homme gras en chemise blanche, la gorge nettement tranchée sous la pomme d'Adam, bloque la porte à demi, dans son sang coagulé.

Le chien gratte le bois, empoigne soudain le pantalon de jersey au-dessus du genou, tire vers l'arrière ce qui semble être la jambe droite du cadavre, la laisse tomber, se glisse dans le solarium qu'éclaire un vieux tube au néon jaunâtre, un parfum âcre lui fait lever la tête : le sac noir est là, coincé entre un fauteuil anglais et une lampe de chevet... Loup s'en empare, grogne, et revient, vif comme le mercure dans la nuit qui le happe.

A l'autre extrémité de la ville, dans le sous-sol du Bureau central des Recherches, un officier myope suit attentivement, bouche grande ouverte, le carré lumineux qui représente le Dossier Jaune et qui se déplace par pulsations sur l'écran bleuâtre du tube cathodique.

— Cette fois nous le tenons, monsieur le Ministre.

— C'est plutôt lui qui nous tient, Stanley ! Le voilà qui emporte le Dossier Jaune disparu depuis deux jours déjà.

— Il ne peut aller très loin, monsieur le Ministre, le dossier a été saupoudré d'une poussière électro-magnétique que détectent nos caméras à lampes infra-rouges, regardez plutôt : le voyant se déplace vers le port...

En effet, dans l'air raréfié de la nuit, une ombre

fragile se décompose sous un lampadaire, puis l'homme court devant une vitrine rose, à peine éclairée, où des mannequins nus regardent le trottoir avec, aux lèvres, un sourire de plâtre.

— On sait que cet homme, ce Justman, ce Fantôme comme l'ont appelé les journalistes, ne vole que chez une certaine catégorie de citoyens.

— Il laisse au menton de chacune de ses victimes le minuscule symbole de sa secte : un crâne incrusté dans la chair, comme on marque les bêtes au fer rouge.

— Il se dirige vers ici, ma parole !

— Vous avez raison. Avertissez les patrouilles, que personne ne bouge !

L'ombre grise s'est arrêtée soudain, au détour d'une ruelle fortifiée ; on ne devine que les yeux derrière le masque, l'inquiétude, la colère. Ses doigts crispés sur le mur de briques effritées.

— Monsieur le Ministre ! crie un planton planté droit.

— Qu'est-ce qu'il y a, mon petit ?

— On vient de trouver le sac noir qui contenait le Dossier Jaune, en bas, au pied de l'édifice, dans une boîte à fleurs, un garde...

— Et le fantôme ?

— ... disparu, monsieur le Ministre. Il s'est enfui.

— Vous savez que cela peut amener le renversement du cabinet ?

— Vous croyez ? demande l'officier ahuri.

— Le Dossier Jaune contenait une liste des députés et fonctionnaires associés à la pègre... Justman en a sûrement fait des copies, demain matin ce sera dans tous les journaux. Il faut retrouver cet homme !

Les patrouilles ont en vain cherché à rattraper Justman qui s'est enfui par les toits puis s'est glissé dans son véhicule atomique en forme d'obus qui lui permet de circuler à toute vitesse dans les égouts de la Cité. »

— Heille ! la marde ! ça doit rvoler avec ça ! dit Mireille.

(Mais Thomas D'Amour à son tour ne sourcille pas. Il dicte, imperturbable) :

« Le ministre a tenté de rejoindre les directeurs de Power Corporation pour les prier de ne pas publier cette liste que Justman pourrait laisser au marbre. Mais il est trop tard, et des journalistes étaleront en première page le scandale du siècle qui renversera le gouvernement et éclaboussera l'opposition. L'effet est foudroyant. Les révélations du Dossier Jaune permettront à tous de mieux vivre. »

— Fin ? dit Mireille.

— Non, changement de ton, répond Thomas D'Amour, je m'identifie à mon personnage, je me glisse dans sa peau, il est fier d'avoir si bien réussi son travail, je suis aussi heureux que lui, même que je me suis permis, ce vendredi, d'arriver comme une fleur vers dix heures au bureau. De toute manière, je termine toujours plus tard que les autres : cela mérite récompense.

C'est pourquoi ce matin, pour la première fois en

plein jour, j'ai endossé la combinaison de Justman, le masque et tout, y compris le Lüger dans ma ceinture de cuir verni : on me regarde passer avec amusement, dans le hall d'entrée de l'immeuble, comme si ma démarche en souplesse impressionnait les gardes de faction.

Dans l'ascenseur je tombe sur un adolescent en tablier coiffé d'un petit chapeau blanc. Il tient des cafés dans une boîte de carton (— trois crèmes, un noir avec sucre, un sans —) me jette de temps à autre un coup d'œil inquiet.

Comme dans les passages secrets d'un château, où les pierres basculent, la porte de l'ascenseur s'ouvre et Justman débouche dans une salle de réception où les philodendrons tels du linge à sécher étouffent presque une indigène peinturlurée, responsable du tambour interne qu'elle soulève rapidement pour prévenir le directeur.

— Ah ! Ah ! Elle ne m'a pas reconnu, c'est évident, elle tremble même un peu, c'est bon signe, je serai craint comme la Main de Dieu, je serai la lune du Bien et le Mal se retirera comme la marée.

Justman pousse la porte de verre qui mène aux salles de travail, et se dirige vers le bureau de Thomas D'Amour, au fond à gauche.

— Au fait pourquoi est-ce que je ne pourrais accomplir ma tâche quotidienne habillé de gris et masqué ? Cela n'effarouchera pas les clients honnêtes...

D'ailleurs, comment pourrais-je vraiment devenir le justicier si je ne porte mon costume jour et nuit ?

C'est clair comme l'Imitation de Jésus-Christ, Thomas D'Amour devient le fantôme et vice versa, voilà !

Ils m'ont laissé passer, les secrétaires ont la bouche ouverte comme trappes à tourtes... C'est un fou, se disent-elles, mieux vaut ne pas le déranger, tu as lu à Boston ? Il y en a eu un, comme ça, qui a tué au moins huit employés, et il n'était pas même masqué tu comprends.

Pour le personnage féminin, si vous permettez, j'uti-lise votre prénom ? Oké kadi.

C'est Mireille qui, la première, a été prise d'un fou rire à secouer le pont Jacques-Cartier. Elle vient de reconnaître Thomas sous son costume, à sa démarche, qui n'est pas tout à fait athlétique, à son bedon itou qui saille sous le tissu tendu, et qu'elle a souvent vu sous les draps.

— Thomas !

— Oui, Mireille ? dit Justman d'un ton sérieux.

— Tu reviens d'un bal ? Tu es passé chez Ponton ? Tu t'en vas à un déjeuner costumé au profit de l'En-fance malheureuse ? Chez les Kiwanis, les Optimistes, les Lions ?

Les employés, le comptable et le directeur se sont groupés derrière elle comme une troupe de villageois derrière le sorcier à l'arrivée du Blanc. Thomas per-sifle :

— Si tu continues à te moquer je ne vais pas même tenter de te répondre.

— Je ne me moque pas, dit Mireille, ravalant sa salive et ses hoquets, mais si j'arrivais un bon matin au bureau déguisée en Little Orphan Annie, en Sainte Vierge en Bécassine ou en Philomène...

— Je ne rirais pas! Je me dirais que tu as certainement une bonne raison d'agir ainsi.

— Mais enfin Thomas! Tu ne t'es pas...! Mais voyons! Sacrament! Regarde-toi! Viens devant la glace! Viens! Là, regarde: (Thomas fait demi-tour devant le miroir fleuri.)

— Je nous regarde, chérie, et je te trouve ridicule dans ta blouse rose et ta jupe de laine écossaise.

— Thomas!

Justman D'Amour met ses poings sur les hanches, écarquille les jambes, bombe le torse:

— Pour moi c'est fini tu comprends? Ah! j'en ai mis du temps avant d'en arriver là! Avant de troquer mon Cardin bleu rayé contre cette combinaison! D'abord si tu veux que je te dise on n'est pas *vraiment* à l'aise là-dedans. Et puis c'est abominablement chaud pour la tête; et encore plus ici aux cuisses tu vois: je transpire. Je ne me costume pas pour rien. Je ne suis pas un fantôme d'occasion.

— Tu vas me faire brailler! Mon pauvre chou D'Amour, c'est une sorte de dépression, sûrement, viens...

Mireille a pris Thomas par la main et ils se dirigent à petits pas vers le décor de ville moderne qui se profile à l'horizon derrière les énormes fenêtres qui entourent le petit salon. Le directeur a fait un geste complice à Mireille, puis il a invité les employés à se disperser. A présent ils sont seuls.

75

THOMAS : Tu voudrais peut-être que je me confesse ?

MIREILLE : Oublie ça !

THOMAS : J'ai l'air d'un grand enfant qui croit aux sorcières ? C'est ça ? Mais crie-le donc !

MIREILLE : Pas du tout. Pantoute.

THOMAS : Ah.

MIREILLE : Mon chéri, tu as beaucoup travaillé ces derniers temps, un homme de ton âge...

THOMAS : De mon âge !

MIREILLE : ... ne se promène pas déguisé en héros de bande dessinée. Voilà.

THOMAS : Comme si c'était la première fois.

MIREILLE : Ce n'était quand même pas TOI, ce matin dans le journal. Ce que j'ai lu.

THOMAS : Je peux t'expliquer ?

MIREILLE : Ben t'es grave.

THOMAS : Toutes les nuits, depuis un mois.

Mireille s'énerve. Elle ne veut pas croire aux histoires de fantômes, encore moins à celle de Thomas.

— Tu ne voudrais pas te changer ? Comme ça on pourrait parler d'égal à égal ? Tu sais : même costume, même culture, même langage, même univers...

— Baptême Thomas, vous n'allez pas mettre ça ?

— Ne m'interrompez pas, répond-il, et il enchaîne : écrivez !

« Elle va partir et claquer, je le devine, la porte de son bureau. Elle se sent épiée ; elle fut au début maternelle, et maintenant elle voudrait me donner la fessée, elle boude, je dois lui faire comprendre que ce n'est pas un jeu » ; Mireille ?

— Ouais.

— Tu crois que ça va partir ?

— Quoi ?

— Cette tache sur ma manche, ici, tu vois.

— J'aime mieux ça. Tu deviens raisonnable. Ousquia pas de savon yapa de plaisir, enlève-moi ça, je vais aller te le laver, il y a une buanderette à deux...

— Mais tu me promets !

— Quoi encore ?

— Que les taches vont partir !

— C'est du gras ?

— Du sang. Le Juge Leduc... comme une betterave !

Mireille regarde Thomas D'Amour qui la regarde. Ses yeux s'embuent.

MIREILLE : Rentrons chez toi.

THOMAS : A pied ?

MIREILLE : Si tu veux. Viens, tu me raconteras.

Ils sont partis très rapidement, Mireille entraînant le fantôme par le bras gauche, comme pour monter à l'autel de Dieu, alors qu'au bout de son autre bras se balance un sac énorme découpé dans une tapisserie d'époque. Le fantôme la précède un peu et sa tête nerveuse comme le radar d'un U-Boat balaie l'horizon.

— *Voilà*, dit Thomas.

MIREILLE : Voilà quoi ?

THOMAS : Je me souviens, dira Justman, que j'étais à dos de chameau un jour, dans ce qui était un village de tentes, un camping peut-être, où dormaient les restes d'une caravane qui s'était ensablée au point d'eau...

MIREILLE : Vous voulez dire que votre Arabe d'Imroul est en fait un justicier américain ?

THOMAS : Si vous voulez. C'est un autre personnage. Mais bien sûr c'est aussi le même.

MIREILLE : Oké ! C'est vous l'Auteur. Je me contente de godiller. J'ouvre une bière. Ça me fait une bague de fiançailles ; je suis prête ! J'écoute.

Ils marchent rapidement, suivant le code-piéton des grandes villes, sans se frôler, évitant de bousculer qui que ce soit, ou même de se dévisager. A cette heure la foule est dense près des bouches de métro. Thomas n'a pas cessé de raconter, Mireille écoute, de temps à autre ils sont interrompus par le bruit strident d'un camion qui freine dans un dernier soupir, ou par la sirène lointaine d'une ambulance luxueuse qui se pavane ; ici la mort est rentable.

Loup suit à deux pas derrière ; discret et attentif parce que c'est Justman qui parle :

Mireille comprends-moi !

Je suis né dans un berceau d'érable.

A deux mois ma mère me donnait à téter du filet

d'aiglefin cependant qu'elle
chantait les rosiers de Bretagne.
Mon père tricotait mes langes avec des fils d'Ecosse et
du bouleau.
Mes oncles chaque automne abattaient les feuilles à
coups de fusil.
Nous habitions une cabane blanche et tranquille au
beau milieu du fleuve.
Du côté nord de l'île,
des rochers s'élevaient,
entonnoirs gigantesques dans lesquels venait s'engouf-
frer le vent.
J'habitais un berceau d'érable à vent.
J'ai plein les narines
des odeurs de pain trempé dans le lait, grillé sur la
bavette du poêle,
saupoudré de cassonade brune comme sable mouillé.
Un berceau d'érable auquel
on avait pris soin d'ajouter des montants chromés.
Il y avait des Indiens en culotte de chevreuil
pieds nus
à jouer sur les planches de pin noueux de la galerie.
Je mangeais à la cuiller
du filet de morue bouilli
un peu poivré.
Je portais aux pattes des chaussettes tricotées à la
main
ornées comme jeux de cartes.
Nous avions acheté nos draps chez Larivière et Leblanc.
A cette époque mon père brassait le chocolat chez

Wipett de Viau.
Ses cheveux blancs et parfumés tombaient
sur une chemise carottée
rouge et noire.
Mes oncles
quand ils ne nettoyaient pas les patinoires,
jouaient aux dames,
vendaient des montres volées,
tenaient boucherie.

MIREILLE : C'est pas une raison pour faire un fou de
vous !
THOMAS : Vous auriez voulu que je rende justice en
habit de ville ? Vous n'aimez pas l'idée du costume ?
MIREILLE : Non. Je veux dire : votre biographie. Vous
fabriquez à mesure, c'est faux nez.
THOMAS : Vous voulez que je recommence ?
MIREILLE : Mais cette fois, soyez honnête.
THOMAS : Je reprends.

Je suis né rue Chambord
et mon berceau n'avait pas de pieds.
La malle de couvent de maman me servait de lit de
bébé.
Je ne me plains pas : pour la taille, ça allait. Même
que pour éviter que je me blesse on avait enroulé la
serrure de métal jaune de tèpe noir arraché à un
hockey.
Mais je n'aimais pas cette habitude qu'avaient les

adultes de fermer le couvercle dès que je me mettais à crier ou à chanter.

J'ai passé la moitié de ma vie dans une cale sèche, bleu nuit, qui avait des odeurs de bois de cèdre. Le silence et la chaleur me terrorisaient. J'aurais voulu qu'ils jettent mon lit dans le fleuve comme un panier de déchets, qu'ils me jettent à la mer ! J'aurais crié mon nom aux deux rives, descendant vers le golfe, suivi de crapais soleil, de dorés, de perchaudes fraîches, plus tard...

Au petit catéchisme, j'ai entrepris une collection d'hosties variées que je gardais dans un vieil album de philatélie, osties toastées osties foquées osties dchien osties beurrées osties de toutes les couleurs osties aux mille saveurs osties gaufrées : J.H.I., des croix, des calices, des silices osties profanées, avec une tache de sang de Jésus-Christ comme une lune sur l'ongle

sur le comptoir de la cuisine.

Plus tard encore, mon père étudia l'anglais et fit tourner des disques que j'appris par cœur, well look who's here ! Johnny and his dog have come, No King of England, if no King of France ! Arrrcht ! Blood ! Irch !

— Thomas, tu te moques ou tu mens ?

— Je ne te raconte pas d'histoires. Un soir d'orage des amis sont venus, des vandales, et ils ont bouffé mes osties !

— Arrête-moi ça ! Tu vas me faire brailler !

(Elle regarde Justman en renversant un peu la tête, la bouche moqueuse, les yeux plissés comme le front) :

— En somme tu veux que nous jouions à Kisétèsse qui a eu l'enfance la plus malheureuse ? A la marelle des intellectuels ? Oké, Oké ! Ça ne me gêne pas, moi ! Mon berceau, c'était un baril de mélasse ! Tu vois !...
dont on me sortait *une fois* la semaine,
le jour des galettes de sarrasin.
Le seul avantage que j'y voyais
et c'est entre toi et moi, ce qui m'a empêchée de neurasthénier :
La mélasse t'enveloppe, te bouche les narines, les oreilles, l'épiderme, le trou du con ; ça conserve !
A dix-huit ans, j'avais la peau blanche et sucrée,
Les garçons venaient me sucer, la mélasse...

THOMAS : Tu es grossière.

MIREILLE : Je suis une grossière indécence.

THOMAS : Or nous devons être toujours purs dans nos pensées et nos désirs... nous devons avoir la grâce de Dieu ; la grâce est un don surnaturel que Dieu nous accorde pour aller au ciel ; la grâce nous élève au-dessus de la nature humaine.

MIREILLE : Je vous salue Thomas, plein de grâce...

— Excuse-moi, je suis navré, dit Thomas essoufflé qui s'arrête soudain.

Loup se met à décrire des cercles de plus en plus grands autour du couple jusqu'à un chêne qui borde le sentier, en fait lentement le tour, museau aux racines, revient, tête haute, les oreilles au vent, l'air impénétrable. Ce chien n'a pas besoin de masque et ses yeux sont du même acier que ceux de son maître. On ne l'apprivoise pas avec un os, une boîte fraîchement ouverte du Dr. Ballard ou un gaines burger dog food nourriture pour chiens, with convenient Snap open Wrapper, à emballage pratique s'ouvrant d'un coup sec! Les gaines burger sont bien moites et nourrissants. On peut les garder sur une étagère même après avoir ouvert le paquet. Pas besoin de les conserver au réfrigérateur, pas besoin de cuiller, rien à gratter, à écraser, à mélanger ni à verser. Nothing to scoop

scrap

mash

mix or spill!

Thomas s'est écrasé, posant son derrière sur une brique chauffée par le soleil, il se tient la tête entre les genoux, les joues sur le tissu gris du costume, les yeux clos derrière le masque de feutrine tendu.

— Je me sens persécuté comme une religieuse scrupuleuse dans un ordre qui se modernise, je suis la sœur grise des vrais sentiments, ils vont me retirer le droit de porter ma coiffe; ils vont découvrir que je suis chauve. O MON DIEU! je ne suis pas digne que vous entriez dans ma maison. Je ne veux pas mourir, j'ai droit à l'éternité. Je vais me réincarner, voilà, c'est tout.

Mireille se fait câline.

— Toi et moi, on pourrait partir ? Aller en vacances...

THOMAS : Je n'ai pas encore terminé ma tâche, cette mission est sans limite. Entends-moi bien : j'extermine la vermine. Je peux parler clair ?

MIREILLE : Je ne demande que ça, mon gros.

THOMAS : Il y a dans le monde des hommes choisis, des êtres étranges qui reçoivent du Ciel des ordres de Mission. Thomas D'Amour peut aller en voyage, mais Justman lui ne peut pas partir, ni même dormir, tu vois, le Mal, la Mafia, Lucifer, veillent ; le Fantôme D'Amour doit démasquer les profiteurs, les exploiteurs, tous ceux qui à l'abri des portes capitonnées, dans le silence des moquettes sombres, manient des téléphones, signent des contrats véreux, échangent des billets doux avec les prévaricateurs et les maquereaux.

— VOUS ÊTES VRAIMENT UN ÉCRIVAIN DE GAUCHE ! souffle Mireille la vraie.

— Toutes les nuits, quand les rues se vident, je pars à la course derrière Loup qui me guide. Je traverse la moitié de la ville s'il le faut, je ne crains pas même les trous d'ombre des parcs publics où jaunissent des feuilles de bananiers nains, tu vois, je pousse l'audace à sa limite, tous mes muscles d'acier bandés, coudes au corps, je pénètre par effraction chez mes victimes, le plus souvent par le balcon, je me glisse en douceur derrière les rideaux de velours rouge, Loup m'attend, silencieux dans le clair de lune, prêt à aboyer, donner l'alarme, parfois le Mal, la Bête, dort, encore saoule et puant le cigare, les orteils nus, les pieds poilus posés sur un édredon de satin or ; ou bien Elle prend sa douche et je l'étrangle dans la vapeur d'eau ou encore Elle travaille, assise à son bureau de noyer, une tache de lumière crue révèle un seul côté de son visage, je m'approche de la chaise capitonnée, mes doigts touchent les clous de cuivre, d'un seul geste je lui glisse la lame d'un long couteau sous les omoplates, la Bête reste bouche bée, le temps d'un procès sanglant. J'éteins la lumière...

Je n'aime pas tuer, tu sais, mais on ne peut pas être un justicier aimable, et puis, de toute manière, ces gens ont eu maintes fois l'occasion de se réformer, de se repentir, de reprendre tout à neuf. Mais je sais par cœur leurs habitudes, leur veulerie, c'est pourquoi de tous les Punis JE FUS CHOISI...

Cela s'est passé, il y a bientôt deux mois, un soir. Je faisais un examen de conscience, tu vois, un bilan de mes années sur terre, on devrait tous en faire un de temps à autre, je pensais à toi, je me souviens : je mangeais des noix salées et des cachous (des pinottes) en avalant un scotch ; il faisait tiède dans le salon, je regardais la télévision — au canal douze, c'était *Mannix* je pense — en attendant que tu téléphones, on irait peut-être au cinéma ou chez des amis... soudain la sonnette a vibré, un livreur en livrée — je ne l'ai pas très bien regardé, je regrette — me tendit une boîte, après m'avoir fait signer un reçu ; un paquet que je n'attendais pas.

Le tout était bien à mon nom : Thomas D'Amour ; je défais les ficelles, j'ouvre et dans du papier froissé dormait comme un œuf de Pâques ce costume. Je n'ai rien fait tout de suite ; intrigué, je l'ai déposé sur un tabouret, j'ai continué à grignoter et à boire. Puis je me suis laissé tenter : j'ai essayé le masque tout d'abord, c'était assez fantastique, tu sais, cette cagoule qui me tombait jusqu'aux épaules ! Seulement, la bague était un peu petite... Je me tenais devant la glace, il n'était pas très tard, alors j'enfilai le tout qui m'alla comme gant de chevreau... Tu veux savoir ma première impression ? Je me suis senti complètement ridicule, je veux dire habillé en Justman, dans mon salon, entre un scotch et la glace qui fondait. Peut-être même triste, comme un oiseau empaillé, comme un marxiste orthodoxe dans un supermarché.

Thomas D'Amour devenait soudain Thomas Justman, tu vois, sans prévenir : comme le vent tourne, comme un simoun, comme le cri déchirant d'une chanson andalouse, qui vient de chez Tarafa pleurant au bord de la fontaine du Croissant la disparition de la plus jeune de ses femmes, la bouche tirée par un nerf qui ne peut se détendre,

comme une grimace,

comme une ondée qui cesse soudain

mais le ciel s'est assombri

et les poulpes que les pêcheurs ont mises à sécher sur les cordes à linge deviennent

luminescentes.
J'habiterai le château de Cagliostro.
La mort pousse son chariot,
laissez les crânes au soleil ;
le Mal sautera comme une embâcle
dynamitée.

Mais alors je me dis, tu comprends, ça suffit ! Thomas
D'Amour ! Je t'écoute, je t'entends, tu es devenu fou,
faut te coucher, ça ira mieux demain, prends deux
aspirines, enlève-moi ce costume, ça passera...
MIREILLE : Tu t'es sincèrement dit ça ?
THOMAS : Ouais. Absolument. Mais à ce moment-là quelqu'un gratte à ma porte, j'enlève la cagoule, j'ouvre :
c'est Loup qui est là, il aboie vers moi, je lui tends
prudemment la main, il la lèche puis court vers
l'ascenseur, revient à moi, il se tient droit, il m'en-
traîne, je ne peux résister, JE SUIS LE FANTOME, défen-
seur des opprimés

POW!
ZINGN!
HOHG!
ZAP!

CRAC!

c'est ainsi que ça se passe depuis la
Toupie du Temps !

Mireille cesse un instant d'écrire. Elle regarde Thomas avec son plus beau sourire ; D'Amour fait de
même.

— Heille ! dit Mireille, c'est toffe d'être un écrivain.
  C'est pire que toute !
— Ménon, ménon, répond l'auteur avec pudeur.
— Bon, dit Mireille, vous allez ramener la Toupie du
  Temps par des souvenirs, c'est ça ?
— Ce n'est pas le moment ?
— Je ne sais pas... on n'a jamais voulu vous enfermer
  à Longue Pointe à cause de vos visions ?
— Tant que je les partage, ils ne m'embêtent pas...
  Venez ici, Mireille, que je vous embrasse.
— Pas de manœuvres dilatoires, l'Auteur ! To the
  point, oké ?
— C'est possible que je sois un peu perdu, mais tu
  vois, la Toupie du Temps, j'y crois.

MIREILLE : Moi aussi.

THOMAS : La chute des anges, ça n'était peut-être pas
des québécois, mais j'y crois.

MIREILLE : Moi aussi.

THOMAS : C'est pourquoi Imroul, Tarafa, Manât, le palais mauresque, la brise tiède comme ton souffle, je voudrais y croire...

D'ailleurs je n'ai rien inventé, je ne saurais comment faire, j'ai tout vécu, mot à mot, de la première lettre à l'oméga, parfois j'ai transposé, faisant d'un œuf à la coque la structure d'une galaxie... je voyage, tu comprends, je déménage tous les printemps.

MIREILLE : Yen a plein les sept cent quarante-sept du monde comme vous.

THOMAS : J'ai le temps qui me presse, me pousse dans le dos, m'enroule, et me lance comme une toupie... Mes amis déjà me racontent leurs malaises, leurs syncopes, leurs anémies, parfois ils disparaissent dans de grandes chambres d'hôpital, d'autres s'écrasent en voiture contre le pilier d'une voie rapide, ou trébuchent et glissent...

MIREILLE : On repart ?

THOMAS :   Parfois une planète éclate
            comme une tomate lancée contre un mur ;
            il en retombe des morceaux incandescents
qui coulent dans la voie lactée,
            des boules de Noël et des guirlandes de
décorations scintillantes qui débordent dans la nuit,
            des parcelles d'étoiles qui brillent dans les
yeux de Manât.
            Imroul lui enlève sa robe : il veut planter
un saule,

il s'approche de cette terre fertile recouverte de mousse rousse,

les doigts de Manât viennent chercher le tracteur, caressent les roues arrière,

et Imroul se surprend à labourer en douceur.

Sahara ! Sahara ! gueule Dalida,

Car je ne sais quel client ridicule a mis vingt-cinq cents dans le scopitone : des danseuses à voiles sautent à la corde, perchées sur le fessier du sphynx.

Au couplet, Dalida arrive à dos de chameau, l'air plus effrayé qu'inspiré, elle est suivie de quatre Ecossais qui jouent du bag-pipe. Sahara ! Sahara ! reprennent les pédés du corps de Ballet ; cette fois le chameau refuse d'avancer, il recule de biais et Dalida entonne le second couplet face au soleil de papier mâché qui se dandine au bout d'un fil de laiton ; la troisième danseuse est la plus jolie, mais pour la découvrir il faut avoir vu le film cinq ou six fois, ne plus entendre la chanson ni le tambour, faire comme si nous étions, toi et moi, seuls au monde dans cette oasis où l'air tiède sent la viande grillée,

faire comme si les couvertures ouvertes, tendues à sécher, n'étaient que des tapis d'Orient, oubliés par un marchand distrait, attendre que le vent efface les rides des dunes et les plis au ventre de la mer que frôlent des soucoupes volantes en or martelé. Car là-bas des dauphins sourient aux anges et se mettent à jouer.

— Nous ouvrirons au couteau ces vaisseaux d'argent
Comme fruits de sable, enchaîne Mireille.
Ce sont des anges minuscules avec une perle au
front.
Nous les mangerons devisant et riant
Croquant nos poux jusqu'à la barre du jour.

Puis elle se lève d'un seul coup, s'assied sur ses
cuisses en riant, chantant comme Charlebois un solo :

WOW! HOUPSE! STOP!

HiPSE!

Wow les oreilles ! Ça fait bien de la poésie, mon Dieu !
— Tu t'es laissée prendre ! dit Thomas D'Amour qui
enlève sa chemise parce qu'il fait très chaud, mais
aussi pour montrer discrètement son sonne-tanne
aux épaules et dans le dos.
— Vous vous mettez à l'aise ? Il fait chaud ici. Ouais
c'est vrai que je suis embarquée ; la marée devait

être haute. (Elle déplie ses jambes comme deux accents.)

— Tabanarque, je vous écoute là, et j'avoue que c'est maganant. Aux premières pages du manuscrit c'était assez facile de retrouver son chemin, mais depuis deux heures que je tape à mesure, même si je sais qu'on doit corriger... je ne vois plus si ce surhomme de plastique reste plusse mon cousin que Kaïs, Imroul de son prénom, le chameau du désert andalou...

— Mais c'est vous, Mireille, qui m'avez demandé autre chose, vous vouliez un objet familier, un costume, une chanson d'ici, un climat de Noël, vous vouliez que je sois attentif à l'ombre des gratte-ciel.

— Bien oui, Voui, Voui ; vous n'auriez jamais dû me prendre au sérieux ; comment fait-on un livre, l'Auteur ? Avec ou contre sa secrétaire ?

Thomas D'Amour ouvre grands les bras, geste impuissant, les laisse retomber. Le soleil inonde la Côte-des-Neiges ; de temps à autre, le passage d'un autobus leur fait tourner la tête vers le cimetière vert qui gruge la montagne.

— Il n'y a pas de recette. Il faut aimer les livres si on veut en accoucher, dit enfin D'Amour.

— Mariette soutient qu'il faut baiser la langue.

— Tu me donnes des idées, dit Thomas D'Amour en avançant la main.

— Garde-les pour toi tes idées l'Auteur ! A une piasse la page, tu peux pas toute avoir !... T'as pas répondu, comment on fait un livre ?

— Avec ce que t'as sous la main, avec le **murmure**
de la lumière, avec les paroles des gens de paroles,
avec ce qui t'est le plus cher, il y a des **auteurs**
français qui partent même d'un tableau, d'une peinture, nous aussi on pourrait, regarde! (Thomas
D'Amour va chercher dans une poche de sa veste
une carte postale.) On pourrait partir de ceci, c'est
une reproduction des Andriens, un Titien au Prado
de Madrid, tu vois? On peut partir de ça.

MIREILLE : Le Prado, c'est un musée?

THOMAS : Oui.

MIREILLE : Chrisse chus cultivée! Des filles comme moi,
on devrait pas laisser ça lousse!

THOMAS : C'est un tableau que j'aime beaucoup parce
qu'il est décadent, en un sens, comme mon manuscrit.

MIREILLE : Tu veux dire que tu as fait ton livre à partir
de ça?

THOMAS : Pourquoi pas?

MIREILLE *(elle lit)*: « un groupe plutôt nu, exubérant,
réuni au bord de l'eau pour joyeusement festoyer... »

THOMAS : Premier chapitre : la mort de Dieu.

MIREILLE : « On est frappé, au premier abord, par le
déshabillage d'une jeune et jolie femme qui s'est
endormie malgré le tapage, tandis que près d'elle
un gamin coiffé d'une couronne de lierre n'hésite pas
à faire ses petits besoins... »

THOMAS : Tu vois, je prends cette peinture de l'île grecque d'Andros dont, disait le poète ancien Philostrate,
la campagne est arrosée par un fleuve de vin pur que

Dionysos a donné en cadeau aux habitants, et je
peux en tirer...

MIREILLE : Tu ne peux rien en tirer, pas même une
ligne à menés ! La preuve : regarde ton texte !

THOMAS : C'est un des membres de la famille d'Este,
Alphonse Ier, qui a chargé le Titien d'exécuter cette
toile, vers 1516.

MIREILLE : Le Canada n'était pas même sur la carte !

THOMAS *(il crie)* : Les Andriens ornaient le camérino
d'Alabatro du château de Ferrare que le duc avait
fait installer pour jouir de plaisirs artistiques et
intellectuels dans ses heures de loisir.

MIREILLE : Sacrament de calvaire, que t'es fendant avec
ta culture le grand ! Ostie Thomas ! Le prado les
fesses ! Des fleuves de vin au gallon ! Une île grecque
pour pédés ! Faudrait pas nous prendre pour des
boîtes à scrutin ! Ton affaire est bourrée de marde
comme une dinde de la Thanksdonnégivingmerci.

THOMAS : C'est vous qui ne parlez pas clairement, maintenant.

MIREILLE : D'abord, arrête de me dire VOUS quand ça
fait ton affaire, l'Auteur. A partir d'astheure tu me
dis tu : on n'a pas le temps de se vouvoyer au Kébek !

THOMAS : Tu ne me dis pas le fond de ta pensée... Si
t'en as une.

MIREILLE : Ça ne te fait pas mal de péter plus haut
quel trou ?

THOMAS : Je t'ai dit que j'étais né rue Chambord.

MIREILLE : Ben c'est toi qui dois pas l'oublier ! Chrisse
chus tannée ! Tu parles d'un samedi après-midi !

Monsieur se fait polir le manuscrit ! Epis je lui sers
à boire en plusse, kosséke tu veux boire au fait ?

THOMAS : T'es une maudite belle plotte, tu sais.

MIREILLE : JE T'AIME, THOMAS ! J'aime tes anges,
j'aime ta toupie ! Non ! sépas vrai : j'aime mieux ton
fantôme, parce que lui je le connais ; t'as tous les
droits, mon beau...

THOMAS : Je cherche l'homme universel, voilà.

MIREILLE : Ecœure pas l'peuple, baquet ! T'as attrapé
un coup d'Europe à l'université ? C'est un maudit
torticolis ça. Mais vas-tu te promener toute ta crisse
de vie le corps dans un sens, la tête dans l'autre ?

THOMAS : Torticolis... ?

MIREILLE : Vati falloir te mettre le nez dans sloche
pour que tu vois DOUKE tu viens ?

THOMAS : M'a te faire plaisir *(il se met debout et salue
un drapeau imaginaire)* je suis un gars correct de la
rue Chambord, correct ?

MIREILLE : Tu te moques de moi.

THOMAS : Non Mireille, mais il y a des jours où le
Kébek est comme une marque de cercueil, on te
dépose dedans, on met un carcan au verrat, on te
donne à manger deux épis de blé d'Inde et une tasse
de bleuets, tu dois t'en contenter et fermer ta gueule ;
moi je n'aime pas l'idée de rester couché.

MIREILLE : Chépa, moi, tu serais pas mal, couché, avec
tes beaux cheveux gris.

THOMAS : Pousse, mais pousse égal ! J'ai trois cheveux
gris tifille *(il s'approche d'elle par l'arrière)*, je
détache ta blouse, tu as chaud, tes seins s'ennuient.

(Ils s'attrapent à pleins bras.)

MIREILLE : Moi, chutu une fille correcte ?

THOMAS : Ça t'inquiète ?

MIREILLE : Pas vraiment.

THOMAS : T'es tellement correcte que c'est pour ça que je t'ai apporté mon manuscrit, tout ça là *(un geste large qui embrasse toutes les feuilles éparpillées sur la table et le parquet)* les dromadaires à deux bosses, les dunes en coton, les Arabes à cheval, c'était rienk pour te parler. Un prétexte, pour enlever ta robe.

MIREILLE : C'est un gros prétexte, mon Thomas, je t'attendais depuis trois mois.

THOMAS : Moi aussi. Mais faut dire que ça a marché, non ?

MIREILLE : T'es botte, Thomas D'Amour. Tu meurs de la bedaine, laisse-moi déboucler ta ceinture, tiens ! C'est une cicatrice ?

THOMAS : Une blessure que m'a faite un bouc enragé. C'était un matin de pluie : tu vois, j'étais berger dans la banlieue d'Aden, je suis mort cette fois-là, passé la centaine ! Pour renaître, tiens-toi bien, au Népal dans une famille où mon père élevait le ver à soie sur les pentes de l'Everest. C'est toujours inattendu, parfois en pleine adolescence, ou au lendemain de mon mariage...

(Mireille glisse sa main lentement sous la chemise puis dans le caleçon.)

ZAP ! Je me retrouve cabaretier à Venise !

ZAP! CLONK! FRiPPE! MAPPE!

me vla pape ! Tu vois :

Quatre nègres noirs péché enduits d'huiles aromatiques, presque nus, portent à bout de bras ma Chaise dorée. Devant le cortège, le métronome charnu des plus belles fesses d'Italie donne le bite musical clac ! un et deux et trois et quatre, clac ! de gauche à droite avec un léger mouvement circulaire... Dieu est grand et je suis le Saint-Père. Je vais de ce pas recréer le paradis sur terre, et dans les jardins du Vatican les bassins contiendront de la sleivowitcz et des parfums !

MIREILLE : Chéri, tu frissonnes.

THOMAS : Ta main douce dans mon dos, tu as une cigarette ?

(Ils fument un peu. Thomas se calme. Ils se touchent de partout, grognent, se lèchent les lèvres.)

THOMAS : Méfie-toi, Mireille : je n'ai pas encore trouvé comment écrire... peut-être ça veut dire que je ne sais pas aimer non plus.

MIREILLE : Tu vas apprendre, viens mon chien loup ; tu as peur de rester au fond de la piscine, je sais, laisse-toi aller Thomas D'Amour, laisse-toi aller.

THOMAS : Pourquoi, à certains moments, deviens-tu grossière comme un caléchier ?

(Mireille se mord la lèvre, secoue la tête, serre Thomas.)

MIREILLE : Tu grossis dans ma main, donc je suis une grossière... Pour aller jusqu'aux racines faut parfois les déterrer à pleines mains, se salir les doigts.

THOMAS : Dans le Périgord on prend des cochons pour déterrer les truffes noires... tu te souviens de la Toupie du Temps ?

(Elle hésite, ferme les yeux.)

tu n'as jamais habité en d'autres temps, d'autres lieux, d'autres corps, d'autres esprits ? Comme on attrape une grippe dans un courant d'air, on éternue : et puis plus rien n'est comme avant. ZAP ! Te voilà dans la peau d'un chat, le cœur d'un artichaut, les flancs d'acier d'un navire, l'écume d'une pipe...

MIREILLE : Tu me fourres, chéri, avant que Mariette s'amène ?

(Ils se tiennent par la taille.)

THOMAS : Je sais ce que nous allons faire : Imroul et Manât vont abandonner la caravane et disparaître seuls dans la nuit.

MIREILLE : Et on n'en entendra plus jamais parler !

THOMAS : Ou alors, un jour peut-être, un enfant viendra vers nous en courant, nous le reconnaîtrons facilement, ce sera leur fille ou leur fils, tête emmaillotée dans une écharpe de laine, les yeux brûlants, mitrailleuse sur la hanche.

MIREILLE : Il sera capitaine d'un commando de Fedayins, c'est ça ?

THOMAS : Il nous interrogera après nous avoir écrasés le long d'un mur, ou aux pieds d'un avion détourné, nous lui dirons que nous avons connu ses parents, mais il sera sans pitié, comme nous l'avons été pour les singes du paradis.

« A mon commandement, feu ! » criera le fils d'Im-

roul Kaïs. Des hommes et des femmes tomberont à nos côtés, mais avant que les balles ne nous touchent une sorcière nous enveloppera, les aveuglera, les étourdira, la Toupie est maintenant entre eux et nous, il ne leur sert à rien de tirer sur ses parois, c'est un alliage inconnu sur terre, une échelle glisse jusqu'au sol, c'est l'arche de Noé des sables, j'abandonne ma couronne, je ne veux plus être le roi des singes nus, je veux retrouver notre temps perdu, la portière s'est refermée, tout est silence soudain.
(Mireille alors grimpe sur le lit.)
— Thomas, tu viens vers moi, avec tes drôles de mains de voyageur ?

ZIP!

la fermeture éclair glisse sur mes reins, et je suis nue maintenant, couverte de mes seuls cheveux et pleine de la culpabilité douce de tout un paradis d'animaux étranges qui refusent de plier l'échine, tu t'étends sur moi, tu t'appuies sur mes hanches, tu grossis à vue d'œil,

ZAP! ZAPPE!

tu m'embroches, comme à la pâtisserie.
— Ne te moque pas.
— Embrasse-moi encore ; c'est un roman de zappe et d'épée qu'on écrit.

— Mireille, je t'aime !

— Je t'aime aussi, Thomas.

— Je suis la première chauve-souris de l'été, le premier silence d'hiver.

— Je suis à toi.

— Je n'ai pas de mémoire, je n'ai que des souvenirs heureux, je vais sur le pont, tu viens ?

Elle me suit, je la précède, nous devons tracer les plans de la Résistance et diviser les Commandos de nos forces.

La rivière coule, transparente comme le langage innocent, j'y plante un hart : elle se brouille, s'embrouille, se rouille, se recroqueville, se détend soudain, tourne sur elle-même, virevolte, s'enfonce et va mourir sur le gravier du lit.

Je cacherai mon désarroi roide sous le pont, dans une besace, dans un petit sac kaki de la U.S. Army, dans un Adidas du vrai voyage, dans une serviette d'avocat, dans un sourire en coin, canard de bois coincé sous les arches d'acier du pont.

Et le langage coule ; vingt-six lettres, quelques milliers de mots, des hasards infinis, j'appartiens aux punis du paradis, JE NE ME BAIGNE JAMAIS DANS LE MÊME LANGAGE !

— ATTENDS-MOI, J'ARRIVE ! dit Mireille qui plonge à son tour.

(Thomas D'Amour regarde ses mains. Mireille ne dit rien. Ils se lèvent tous les deux, le Fantôme a le dos voûté, Mireille ne sait plus où mettre les pieds.)

THOMAS : Pourquoi tu t'arrêtes ?

MIREILLE : Ostie d'Olivetti, ça tape mal dans un lit ! attends ! Je vais me mettre le bottin téléphonique ici, c'est tôké maintenant ! Suite !

Ils vont et viennent dans une allée de sapins bleus, sans se parler ; ils se regardent à la dérobée, le vent souffle depuis les dunes, rabattant les vagues vers le plus profond de l'océan où dans un creux somnolent des monstres marins, rouges, des requins ovipares, des serpents dragons, des tortues grand-mères, les enfants plongent depuis des radeaux montés sur des barils d'huile vides, l'eau bouillonne, les tentes sont ouvertes du côté du soleil, les coleman traînent sur des tables à pique-nique bancales, le boulanger et le boucher ont abandonné...

MIREILLE : Tu sais que je ne pourrai jamais m'habituer à trouver mon nom dans un roman ? Je trouve ça indécent, même quand tu décris autre chose, j'ai peur qu'on me reconnaisse.

THOMAS : Tu préférerais celui de Mariette ? Je suis persuadé que ça lui ferait plaisir.

MIREILLE : Parle pas de malheur ! A prendrait toute la place. Tu sais qu'est plotte en chien, Mariette ?

THOMAS : Je ne la connais pas vraiment.

MIREILLE : Un jour je t'expliquerai, envoye : ont abandonné, le boulanger et le boucher ont abandonné quoi ?

101

THOMAS : leur camionnette près de l'entrée, et les couples viennent avec des paniers d'osier refaire leurs provisions.

Il faut tenir. Les terrains de badminton sont inoccupés, les jambons fumés pendent aux fenêtres, les mouches, molles gouttes de goudron, éclatent au soleil comme des pétards à la Saint-Jean.

MIREILLE : Ça c'est comme ton article pour le Dictionnaire, les mouches... vouache ! ça te pogne souvent ? les bibites...

THOMAS : Oké, oublie ça, on recommence.

MIREILLE : Je déchire ? *(Thomas fait oui de la tête.)*

THOMAS : Nous habitons ce camping depuis quelques années déjà, il y a même, en retrait de la piste sablonneuse, un petit cimetière marin où sont enterrés, sous des dalles de granit, les enfants noyés, et quelques curieux que nous avons dû abattre parce qu'ils ne s'étaient pas fait reconnaître.

MIREILLE : Bravo !

THOMAS : Pourquoi tu dis ça ?

MIREILLE : Parce que je change de feuille, épis que ça me fait une autre piastre. Je te coupe l'inspiration ?

(Thomas D'Amour boude ou réfléchit, il fait trois pas à gauche, traverse le lit en deux enjambées, va jusqu'au mur droit, revient, écrase les oreillers.)

MIREILLE : Commenk tu veux que j'écrive, si t'arrêtes pas de marcher ?

THOMAS : Comment tu veux que je pense, si t'arrêtes pas de parler ? Mireille la merveille !

MIREILLE : Heille, l'Auteur, chutu ta Muse ?

THOMAS : M'amuse, oui, m'amuse bien gros. Tu viens de tuer Justman, si tu veux le savoir.

MIREILLE : Comment ça s'est passé ?

THOMAS : Nous sommes au cimetière, oké ?

MIREILLE : Si tu y tiens.

C'est là aussi que, dans une boîte à pain rouge, fut inhumé le costume gris perle du Fantôme que Mireille avait poignardé dans la nuit cependant que, nu à la cuisine, Thomas regardait bouillir l'eau d'un Nescafé.

Le fantôme D'Amour jugeait ses ennemis à leur tête, à leur visage, à leur apparence, et Mireille avait su lui prouver comme cela est trompeur, quelle patience !

Ils s'étaient arrêtés chez Ben's parce que Thomas rêvait de latkes, de banana peppers, de smoked meat lean ; sur le mur du restaurant des vedettes avaient accroché leurs photos autographiées, en costume de scène, de lutte, de music-hall, d'opéra. Ben avait même demandé à Thomas la sienne, dans son rôle de Justicier, et des enfants avaient fait la queue pour obtenir sur leur serviette de table, sur un carnet, un morceau de journal, la signature-souvenir de Justman.

Loup, pendant ce temps, à la porte du restaurant, regardait passer les voitures, des piétons le caressaient, sans qu'il aboie, comme s'il devinait que la fin était proche.

Derrière le masque qu'il venait de rabattre brusquement, Thomas eut une envie soudaine de pleurer, comme un enfant déçu éclate en sanglots, des larmes mouillèrent le tissu ; il aurait tant voulu se moucher, pour s'excuser !

« Jouer au Justicier ? Corriger les maux de la société ? Enlever aux uns pour donner aux autres ? Recréer le paradis perdu ? Faut être Walt Disney. »

Le Fantôme ferma les yeux et se sentit disparaître dans un tourbillon de guimauve fondue, une odeur de fleurs fanées remplaça le parfum de la crème sûre. Thomas s'épuisait, devenait de moins en moins réel, perdait ses couleurs qui fondaient comme encres d'imprimerie à la lueur crue des néons.

MIREILLE : Mourir chez Ben's, à Montréal !

Quitter Macao, faire tout ce long trajet avec Loup à ses côtés, incognito, enveloppé dans un lourd imperméable noir pour qu'on ne reconnaisse pas le costume, des verres teintés sur le nez, un chapeau mou écrasé sur le front, affronter, sur le pont d'un schooner de douze mille tonneaux, les pires tempêtes tropicales : des cyclones orange avec un épicentre de glace, des trombes d'eau qui avalent la coque comme un œuf, faire les cent pas sur le pont du bateau, revolver sous l'aisselle — parce qu'on ne sait jamais avec les passagers de ce genre de navire — accoster, un jour d'embruns, à New York, descendre seul la passerelle de bois, après que tous soient partis, se méfier des Chi-

nois, se faufiler, contre le vent et la bruine dans des rues illuminées, enfin, changer trois fois de taxi pour déjouer les filatures, se cacher dans un silo, dormir dans le blé mûr, quitter la ville étendu sur le toit des wagons d'un express de nuit, déjouer les gardes frontières, agrippé à une poignée de fer glacée, dans la vapeur et la suie, et venir mourir à Montréal, chez Ben's, devant une assiette de plastique dans laquelle gît, à peine entamé aux deux bouts, un sandwich qu'il ne sait même plus s'il veut mordiller . . . .
. . . .
. . . . Mireille le ramena à la maison, sans qu'il puisse parler ; à peine passé le hall d'entrée, Justman se décoiffa, puis, après avoir donné un dernier coup de poing dans la boiserie de l'ascenseur, pour bien marquer sa colère, et pour le souvenir du crâne de son père qui ornait le trône familial au fond d'une caverne africaine à peine éclairée par deux torches primitives, là-bas, il laissa tomber sa bague entre la cage et le mur, on l'entendit rebondir au sous-sol, l'ascenseur referma ses portes et repartit.

Dans l'appartement il laissa Mireille le déshabiller comme elle le pouvait, il ne l'aidait pas, il pensait : je m'approche du désert, je changerai de corps bientôt, peut-être pourrai-je la grignoter ?

Pendant qu'avec un détachement souverain il circulait nonchalamment d'une pièce à l'autre, comme un nouveau-né, cherchant le temps propice pour changer de lieu et d'espace, Mireille roulait dans un vieux journal le costume et la cagoule : elle planta même avec rage au travers du paquet le pic à glace blanc qu'elle avait trouvé dans la cuisine, tuant ainsi le Fantôme en plein cœur.

Mais celui-ci ne saignerait pas : il était mort quelques minutes plus tôt au restaurant Ben's Delicatessen, rue Maisonneuve, à Montréal, P.Q., où des pèlerins viennent (depuis) voir la tache de sang qui s'est incrustée dans le vinyl moutarde d'une chaise de bois tout à côté de la fenêtre, la deuxième exactement, en rentrant, à gauche.

Plus tard, beaucoup plus tard, Thomas D'Amour alla s'asseoir sur le toit, avec sa tasse de café et quelques canettes de bière glacée ; Mireille s'était endormie en chien de fusil dans le salon, devant l'écran de télé qui grésillait à vide, la fin des émissions s'étant consumée dans l'apothéose d'un hymne national illustré : O Canada !

THOMAS : Qu'est-ce qu'il y a ?

MIREILLE : Chrisse, c'est pas de ma faute, mais le lit ressemble à une dompe ! Un vrai pique-nique ton affaire ! Regarde le drap ! Des ciseaux, du scotch tape, de la colle, deux dictionnaires, une carte postale, un coupe-papier. Calvaire, c'est pas de la littérature, c'est de l'artisanat ! Continue à parler, je vais faire le ménage.

(A quatre pattes, Mireille tente de mettre de l'ordre dans le lit, renverse un cendrier, s'enrage, « une maudite chance que j'aie tout appris chez les guides ! ».)

THOMAS : Repose-toi, laisse tomber.

MIREILLE : Pas question !

THOMAS : T'as de belles fossettes à la naissance des fesses.

MIREILLE : C'est vrai ? *(Elle l'embrasse.)*

THOMAS : C'est trop ambitieux ; on n'y arrivera jamais ; il est cinq heures déjà.

MIREILLE : On pourrait prendre un love-break.

THOMAS : Je vais perdre le fil.

MIREILE : Le père Freud disait que l'énergie qu'un homme consacre à la culture, il le vole à la femme.

THOMAS : Passe-moi le dactylo, tout à l'heure je viendrai comme un voleur...

Une pluie fine, vers trois heures du matin, se mit à tomber, Thomas D'Amour n'avait pas bougé, il s'était contenté de lancer une à une les canettes vides par-dessus le mur, dans la nuit du ciel de rue.

MIREILLE : Moi je préfère le ciel de lit.

THOMAS : L'Aube vint.

MIREILLE : L'aube et pine...

THOMAS : Arrête ça ! Je ne peux pas écrire bandé !

L'aube vint, mais aucune vibration, aucun départ, aucun éclatement.

— Serais-je mort à mon tour ? Moi, l'orgueil de la Diaspora angélique !

Le matin est arrivé. Thomas fait face à un bol de Rice Krispies.

Mireille se contente de sourire en lisant Le Devoir.
Il y a des matins bien ordinaires, avec de la confiture
de fraises sur du beurre fondu, des matins où le ciel
se dessine à l'envers dans le métal poli du grille-pain,
des matins à toaster. *Je ne suis plus de ces gens-là*,
pense Thomas, j'ai mué... Ces gens-là ont le sens du
décor. Ils font leurs approches sous les dattiers, chu-
chotent par-dessus le trot des ânes qu'on pousse sur
l'asphalte surchauffé. Ils offrent le rhum, le sucre et
la glace au soleil couchant dans des verres givrés,
rient fort de la piscine à la mer, les fesses moulées
dans des nylons fleuris, les orteils écarquillés par les
lanières épaisses de leurs sandales de cuir pâle. Ils
échangent des sourires entendus, des renseignements
inouïs, des sacs d'argent, des prédictions, des noms,
des projets de complot, assis, debout, abritant leurs
yeux derrière les persiennes d'aluminium des club-
houses, dans des huttes de bain, sur le siège arrière de
taxis roses et noirs qui glissent comme chats silencieux
le long de boulevards déserts où les cactus à tous les
détours se noient dans les bougainvillées.

Les plus habiles ont un poste permanent dans la
U.S. Navy et dirigent leur réseau d'une chambre d'hôtel
à Panama, ou à Porto Rico, vont à Washington et
New York six fois par année vérifier leur compte en
banque, visiter leur courtier, leur sœur aînée malade,
leur frère pasteur ou directeur d'un collège de jeunes
filles avec camp d'équitation en juillet au New Jersey,
suivent un cours de recyclage idéologique et reprennent l'avion. Puis ils remplissent les formulaires de

dépenses de voyage en attendant une promotion ou l'ordre d'abattre un gêneur.

Quand ils ne plongent pas sous les navires marchands soviétiques ou pour retirer de l'eau salée le corps troué d'un indicateur, ils restent le plus souvent assis à l'ombre d'un hangar bleu, sur des caisses de langoustes vides et fument des Tarenton en regardant la mer ou bien parient sur la vitesse des scarabées qui longent la cabane et celui qui gagne a droit aux petites balles d'excréments qu'il lance vers les voiliers des millionnaires sans jamais les atteindre...

MIREILLE : Sacrament que je suis pas d'accord !

THOMAS : Je me fourre encore ?

MIREILLE : Quand c'est pas des histoires d'étoiles et de pyramides, que t'as empruntées à l'Ancien Testament sûrement, tu épingles des bibites exotiques, des tarentules, des îles d'espions, que tu vas chercher à Saint-Louis contre deux timbres de quatre cents, pis un trente sous collé sur un carton de cigarettes made in Ontario.

(Thomas est abasourdi.)

THOMAS : Je mets du temps à comprendre.

MIREILLE : On va jouer au journaliste : monsieur Thomas D'Amour, s'il vous arrivait d'être condamné à vivre seul dans une île du Pacifique et que vous deviez n'y apporter que les deux livres les plus importants que vous ayez lus, quels seraient-ils ?

THOMAS : Tu vas rire.

MIREILLE : Je ne te demande pas si t'as lu Proust.

THOMAS : Ça serait : l'Histoire sainte, d'abord, et puis

109

ma collection d'endos de boîtes de céréales, toutes les sortes sauf l'Al Bran parce qu'avec, ils ne donnent jamais de cadeaux, pas même d'illustrés.

MIREILLE : Un pied à Jérusalem, pis l'autre à Oshawa ! T'es tout écartillé, viens, j'écarte les jambes, on va se retrouver, jette-moi tout ça à terre, la machine, pis le papier, on a une maudite côte à remonter, mais si tu t'étends sur moi, comme ça, doucement, amour, on va pouvoir

TABARNAK!
VLA MARIETTE!

MARIETTE : Ben salut-là vous deux ! Vous ne m'avez pas entendu rentrer ? J'ai acheté tout ce qu'il faut pour tenir l'Etat de siège... bonjour Thomas ! J'espère que vous aimez les fruits de mer, le vin blanc, les salades, le gros rouge espagnol, le calva, les raisins verts... Ça n'a pas l'air de vous éveiller les glandes ?... Baptême, qu'est-ce qu'il vous faut !

J'en ai couru une chotte pour vous ! Deux régies, autant d'épiceries, la boucherie française, le marché aux fruits, épis vous me recevez avec des têtes de films de Frankènstein.. Vous n'aimez pas ma robe ?

J'ai l'air d'un épouvantail à moineaux ? Mireille
m'avait pourtant dit que c'était oké que je revienne !
Heille ! Heille là vous ôtes ! Ya kèke chose qui tourne
pas rond dans votre machine à laver ! La Toupie
du Temps ptête bien ?
(Elle tourne autour de la chambre.)
Racontez-moi ça, monsieur D'Amour, je vois, vous
avez mis votre petit pénis dans sa caverne veloutée
et ça n'a pas marché ? C'est pas grave. Faut s'apprivoiser, ça viendra chocolat ! Vous avez mal aux
dents ? Vous êtes malheureux, racontez ça à Mariette ; kosékia là ?
— Chrisse Mariette t'as donc pas de tact ! dit Mireille
en regardant Thomas D'Amour qui s'est enroulé un
drap autour du corps.
(Il ressemble à une momie, pense Mariette.)
— Je vois, je vois, c'est un problème politique. Tout
est politique...
— Chrisse Mariette, si tout est politique, rien n'est
politique.
— Je vais m'en aller, dit Thomas qui se sent un peu
gêné.
— Vous n'en ferez rien, rétorque Mariette en lui jetant
dans les bras un sac de victuailles, vous allez rester
sur place jusqu'à ce que Mireille vous libère, nous
avons nos auteurs à cœur, vous verrez, en cas d'an-
goisse passez à la cuisine, considérez-vous notre pri-
sonnier invité et si ça peut vous faire plaisir on va
organiser un gros party, je me mets au téléphone
teusuite, ça va être botte.

111

(Thomas D'Amour dans son drap blanc, tenant le sac de papier brun comme un enfant à bercer, se sent ridicule, cornélien, voudrait pleurer, ces deux femmes sont trop crues pour lui, il n'aime pas le stèque saignant, il préfère les lentilles importées.)

— J'aimerais mieux qu'on s'en sorte entre nous, si ça ne vous fait rien, dit-il.

— Pas de party ? Oké ! Oké ! Wowaouh ! J'aimerais savoir l'Auteur oussé qu'un littérateur dans le Monde, in the world, est aussi bien traité qu'ici ? Nourri, logé, baisé, aimé, bichonné, lavé, aidé, amidonné, sauvé, copié, corrigé, encouragé... qu'est-ce que t'en dis, Mireille ?

— T'as ben raison !

(Thomas s'est précipité sur le lit, lançant le sac à provisions sur la table de nuit puis il s'est redressé, un pied sur le dactylographe qui en gémit, l'autre sur la couverture, il commence lentement à se frapper le plexus solaire de ses deux poings, de plus en plus vite, puis à grogner, à râler, à crier : iouououououou ! C'est Tarzan qui revit. Le lion écorché est encore chaud, Lady Jane est un peu effrayée, Lady Mariette saute à son tour dans l'arène, nous sommes entourés d'ennemis, les lianes poussent dru, les macaques fuient d'une branche à l'autre devant le tigre qui approche, les oiseaux se sont tus, Tarzan est à nouveau le Maître incontesté du royaume : il s'avance dans la plaine, derrière lui ses deux femmes, leurs pas dans son ombre, suivent les rhinocéros sombres qui martèlent le sol, et les girafes au loin courent d'un bosquet à l'autre, son cri fait tourner le soleil, provoque des éclairs, le ciel se vide, Lady Mireille et Lady Mariette se prennent par la main et dansent une ronde autour du matelas, nous n'irons plus aux bois, les lauriers... Alors Mireille regarde Thomas) :

— Tu ne me feras pas le coup du sermon sur le matelas, Thomas D'Amour, tu t'es approché de moi en habillant Imroul du costume de Justman, mais tu cherches toujours une pureté importée, comme le yaourt, que tu pourrais déguster à la petite cuiller ! Imroul, traversant à cheval les frontières d'Europe, le sabre au clair, et ton Fantôme poursuivant dans les ruelles de Chicago, où le Coca-Cola coule de source, le serpent qui s'est glissé sous le fil barbelé de l'Amérique promise ! Arrive en ville ! l'Auteur ! c'est pas toute de jouer les explorateurs, Tarzan D'Amour ! Tu vas t'acheter une carte, le Puni, tu vas débarquer de ta Supernova, tu vas atterrir su mes prélarts fleuris, au son des chants de mes talents Catelli, au soleil de ma Gaspésie, tu vas cultiver nos pissenlits, tes moulins à vent seront des bouteilles en plastique montées sur des piquets de clôture !

(Mireille s'est choquée noire en parlant. Il se fait un silence de bibliothèque.)

— Bon bien, dans ce cas-là, je pense que je vais aller aux petites vues, si vous n'avez pas d'objections, dit Mariette en souriant tristement, d'abord vous n'avez pas besoin de moi, ni pour la cuisine, ni pour le roman, safake aussi bien que j'aille coller ma chique de gomme balounne ailleurs, non ?

(Cependant que Mariette remet son manteau vert pomme, Thomas D'Amour renfile son pantalon fripé, va la reconduire à la porte, la remercie, revient les deux mains dans les poches, pieds nus comme s'il était sur le quai d'une marina, l'été, se croit toujours le capitaine, relève sa casquette d'une chiquenaude, d'une pichenotte aurait dit Mariette, peut-être était-elle plus douce que Mireille, je ne le saurai jamais, la cogestion, la participation, la démocratie, le comité des secrétaires citoyennes, c'était pas la peine de faire son cours classique, pense Thomas D'Amour, Ostie que jme suis fait chier pour rien!)

— Mireille, dit-il à voix haute, je pense que j'ai compris. Laissez-moi vous raconter le début du livre que nous allons faire. Vous notez?

« La scène s'ouvre, mais sur la porte grillagée ce n'est pas un flamant rose qui nous regarde, c'est un faisan plutôt, la porte est en aluminium, le faisan aussi, en couleurs oxydées (les mâles ont les plumes de la queue longues et de brillante teinte) ou bien c'est un paon glorieux, un oiseau-lyre, discret, un paradisier dont les ailes déployées décorent bien l'avant de la maison tout en bardeaux d'amiante saumon, et dont les fenêtres vert-pomme se découpent à peine dans la masse qui se marie aux arbres; l'hiver pourtant, quand la neige entoure et cache le mur gris du sous-sol de ciment, l'oiseau d'aluminium, dans toute sa splendeur, semble parler au paysage.

114

L'été, des canaris de bois, jusqu'au bord de la route, protègent les îlots de pensées et de bégonias qui poussent dans des pneus blancs couchés asymétriquement le long de l'allée où se tient l'Auteur, les jambes écartées, les poings sur les hanches, l'air distrait peut-être, comme celui du bambi de plastique qu'il vient de piquer dans la pelouse sous le saule pleureur qui renifle bien cette année.

Donc, la scène s'ouvre sur ce jardin où bourdonnent des taons, des abeilles et des mouches d'écurie ; l'Auteur va s'asseoir dans l'escalier peut-être, ou bien sur une chaise de toile ; il porte des espadrilles, des vêtements sport, il s'endort.

Sur la route de terre, deux Anglais en goguette chantent fort, le saule pleureur frissonne, l'auteur est agité, son sommeil est fragile, il se réveille soudain, jette un coup d'œil aux alentours : les Anglais sont disparus au bas de la côte, il n'y a, au loin, couchée dans la paille, que la littérature française, toute nue, qui l'attend. Il la regarde longuement, il la désire, mais aussi il regarde son jardin québécois, sourit, sort de sa poche une fourchette plaquée argent et une salière de porcelaine, puis il s'agenouille devant un pneu, comme devant une assiette, et se met à dévorer des Saint-Joseph veloutés. Quand les tiges ne passent pas, il arrache de la ciboulette, s'en fait une chique et prend un grand verre de cidre noir.

Au bout du champ, dans le foin sec, la fille s'agite et s'énerve. »

— TABARZAN ! s'écrie Mireille, si tu continues c'est MOI qui vais m'énerver POUR DE VRAI ! Thomas, tu vas prendre tes petits bouts de papier, tu peux en faire ce qui te plaît, des avions ou des poupées, car, après souper, nous avons un chapitre à écrire, épis cette fois je vais le dicter, toi tu vas dactylographier, chacun son tour à l'aviron sacrament !

— Je devrais être anéanti, dit Thomas D'Amour en s'allumant une cigarette qu'il fait rouler de gauche à droite au-dessus de la flamme, puis il froisse quelques feuilles du tapuscrit dont il fait des boules, les lançant systématiquement par la fenêtre ouverte ; mais je suis ravi, je suis heureux, je sais maintenant que tu étais à bord de la Toupie du Temps !

— Qu'est-ce que tu veux manger ? demande Mireille.

— Des toasts avec du ketchoppe vert, murmure Thomas, l'embrassant au creux de l'oreille.

« que ToutUnChacun du **KEBEK** soit une cellule active et créatrice de la libération totale du **KEBEK** »

ACT THREE

VEUILLEZ CONSULTER L'HORAIRE DES SPECTACLES POUR
LE CHAUD COMPLET UN COURT MÉTRAGE SUR L'ENFANCE
PURE ET NOTRE LONG MÉTRAGE DE LA SOIRÉE DAVID
CONTRE DRACULA EN COMPLÉMENT DE PROGRAMME LA
NAISSANCE DE TARZAN FILS DE LORD DURHAM ET DE
JEANNE-MANCE LA PLUS BELLE FILLE DE VILLE-MARIE AUX
LUCIOLES SAINTES DERNIÈRE ÉTAPE SUR LE CHEMIN DU
RETOUR VERS LES ASTRES LOINTAINS DERNIÈRE CHANCE
LAST CHANCE DE PRENDRE DU GAZ POUR L'ASSOMPTION LA
RÉDEMPTION LE SALUT DU SAINT SACREMENT DE TARZAN

La Toupie du Temps repose sur la plage, retenue par une armature de fer en forme de chevalet et dont les énormes boulons rouillés (l'air marin) ressemblent chacun à une fusée. Le moulin à vent du golf miniature agite ses pales blanches dans le Playland désert adossé à l'hôtel Americana. Personne n'a encore ramassé les papiers, les cigarettes, les tickets déchirés, les tasses et les verres de carton de la veille. Les manèges endormis semblent ronfler mais c'est la bouche d'aération de derrière la cuisine qui vomit une vapeur de frites.

De temps à autre, dans ce curieux silence habité, un réfrigérateur crache des cubes qui s'entassent en attendant midi. L'air sent l'huile et le sable chaud. Badigeonnée de crème solaire, Mireille fait ses ongles, au bord de la piscine.

Tarzan D'Amour, accroupi, caché derrière le mur du garage BP attend dans l'ombre le moment propice. Il fait chaud, et les mouches collent à son front qu'il chasse d'un geste mécanique, tout entier absorbé par le calcul de la distance qui le sépare de la jeune femme étendue sur une chaise de bois bleu, la tête tournée vers lui mais ne sachant qu'il la regarde depuis plusieurs jours déjà, des années peut-être.

Aujourd'hui, il s'est fait beau, il a mis sa chemise des fêtes, avec des clous qu'il a lui-même rivés autour de la tête d'une panthère tracée au stylo-bille tout un après-midi durant, décalque de la publicité d'un marchand de bas-culottes. Sur son avant-bras, un artiste a tatoué son prénom en rouge clair, son nom en forme de cœur.

« Mon Tarzan faut te brancher, tu vas prendre ton bicycle, le faire ronronner, tu vas traverser l'intersection, tu vas sauter par-dessus le terre-plein et t'amener devant la fille, tu lui dis ton nom, tu lui demandes le sien.

Ça se passera comme ça :

— Mais qu'est-ce que vous faites là ? dira-t-elle.

TOI : Je suis venu te chercher, monte !

MIREILLE : Heille baquet ! Wow là ! Donne-moi une bonne raison ! Faut pas me prendre pour une nouille ! Chus pas née d'hier.

TOI : Je m'appelle Tarzan. Viens !

MIREILLE : Oussékon va ?

TOI : Chez nous, on rentre, la Toupie ne tourne plus, c'est ici qu'on s'arrête, c'est ici qu'on va vivre, c'est ici qu'on débarque ; embarque !

(Mireille enfile son blue-jean par-dessus le maillot de bain, un chandail à manches courtes, jaune comme un panneau de signalisation.)

— Mon sac, ouskié mon sac ?

— En dessourre de la chaise, là. T'es prête ?... On y va.

Tarzan fait un tour de piscine sur sa machine chromée presque aussi belle qu'une machine à boule ; son cœur fait tilt quand Mireille l'enlace pour ne pas tomber, appuyant sa tête sur celle de la panthère qui grogne un peu.

Un chasseur, celui de l'hôtel, sort en criant que les motocyclettes sont interdites sur les pelouses.

— Interdit mon cul ! lance Tarzan D'Amour le gaz au fond, évitant un autobus qui arrive en klaxonnant et il enfile le boulevard comme un premier verre de bière le vendredi.

— On a trop tetté, on a trop cherché.

— Tu vas pas un peu vite ? On va s'envoler ! crie Mireille contre le vent dans l'oreille de Tarzan.

— Fie-toi sumoi.

L'autoroute est au bout du village, Mireille fait corps avec le Matamore ; ils roulent en écoutant pétarader l'engin comme une musique électrique.

Un peu plus loin, traversant le chemin de part en part comme des panneaux-réclames géants, des paysages de papier bouchent la voie et l'horizon.

— T'inquiète pas, Mireille, ça se traverse ! Tu baisses la tête, on fonce, ça pince un peu, c'est toute, mais ça passe, c'est comme un mauvais tunnel, pas pire que ça !

Le premier mur qu'ils déchirent est un papier bleu et or au milieu duquel le triangle divin encastre l'œil qui voit Caïn.

Le second obstacle est une nature morte aussi vaste qu'une forêt domaniale, dessin antique tout ocre et vermillon, avec des théières d'argent, des fruits exotiques, des naïades, des trompe-l'œil, des perspectives, des colonnades au fronton desquelles un empereur fiévreux a fait graver son nom. Puis c'est la route à nouveau jusqu'à un tournant brusque où se dresse le troisième mur de papier :

un gigantesque billet de vingt dollars américain sur lequel la tête du président Jackson ressemble étrangement à celle de Batman,

plus loin il y aura des murs plus petits, le test de millage Shell, un long ruban de papier de toilette fleuri, des confettis, puis plus rien : le ciment nu jusqu'à l'entrée du pont qui se découpe en noir dans le soleil rose couchant d'un soir d'été.

— Aimes-tu ça faire un tour de bicycle à gaz ?
— Comme une folle. Mais, Tarzan, j'ai faim, je mangerais bien une patate.
— Pantoute ! Je t'amène dans le China Town, c'est plusse parfait pour un soir de fête comme à soir, on

va manger des egg rolls, du tchope souï, ils mettent des lanternes allumées au plafond, de la musique, des ananas, des enfants qui rient...

T'aimes ça, toi, les enfants, Mireille ?

— J'en voudrais cent.

— Avec le même mari ?

— Avec toi, Tarzan.

Une moto, c'est vite parké. Assis côte à côte au restaurant, ils se tiennent les genoux et Mireille dévore son homme des yeux, lui rit très fort, ça dérange les voisins, mais ils s'en sacrent en sacrament...

MIREILLE : J'aime ça ben gros, ton léopard.

TARZAN : C'est une panthère.

MIREILLE : C'est méchant ? Tu fais partie d'une gagne de bicycle ?

TARZAN : Avant. Les Satan's Choice. Mais c'est fini.

MIREILLE : Comment t'appelles ça ?

TARZAN : Les Punis, si tu veux, mais ça regarde mieux en anglais, c'est un nom de gagne qu'est vieux comme le monde.

MIREILLE : Heille, t'es pas Anglais, toi ?

TARZAN : J'ai ben failli ! J'ai passé deux années aux Etats-Unis.

MIREILLE : Failli, compte pas.

TARZAN : Tu sais ! Des fois je pense que je viens du ciel. Des nuits, quand je ferme les yeux serrés ben fort, j'ai l'impression d'avoir fait dix fois le tour du monde, d'être ben vieux, plusse vieux que ton grand-

père le notaire. Mais c'est ici que je m'arrête, j'ai
fini de bommer, de camper, de jumper, de faire le
zouave. Le Kebek, moi je trouve ça le fonne. Toi je
te trouve une fille ben correcte aussi, ma Mireille.

MIREILLE : Je t'écoute, Tarzan.

TARZAN : Imagine qu'on est ailleurs, imagine un autre
décor, imagine par exemple qu'on vient de faire
l'amour pour la première fois ensemble, c'est de
valeur que ça soye fini, mais ce qui remplace le
désir, ce qui nous fait bander encore c'est, par la
fenêtre ouverte, les cris des petits qui jouent à côté,
tout un petit peuple qui tape sur un ballon, parce
qu'il a décidé de jouer, d'exister, de gagner, même
si la police passe dans la ruelle plus souvent qu'à
son tour ; nous, on fait partie de ce petit peuple,
qui a décidé d'habiter ce pays, d'aimer la neige, le
froid, la chaleur humide, les saisons inattendues,
les volte-face, un petit peuple que l'Histoire, tu sais,
celle qu'on nous enseignait à l'école, avait complètement oublié.

MIREILLE : Comme moi l'autre jour j'ai oublié des œufs
dans le réfrigérateur...

TARZAN : On est dans la chambre qu'on a louée, non !
C'est plusse que ça, c'est un trois pièces-cuisine,
parce qu'il faut arrêter d'avoir une mentalité de
pauvre, une chambre meublée c'est pisseux, c'est
pas assez, c'est un trois pièces que j'ai loué, et je
l'ai repeinturé moi-même, avec toi, tu vois...

MIREILLE : Au rouleau, parce que c'est trop fatigant,
le pinceau.

TARZAN : Tu ne devrais pas grimper sur la chaise, c'est dangereux, il y a des choses qu'une femme enceinte ne peut faire, laisse-moi t'aider.

MIREILLE : Tarzan, tu entends dans la cour ? Les enfants se sont mis à chanter : RÉ-VO-LU-TION — RÉVO-LUTION.

TARZAN : Le nôtre chantera pareil, et puis il ira à l'université, et quand il nous demandera : pourquoi est-ce que vous m'avez enfanté ? On lui répondra, d'abord par amour et ensuite pour nous aider à faire cet ostie de Pays.

MIREILLE : Tarzan ?

TARZAN : Oui ?

MIREILLE : Si on creusait un trou humain, sur la planète ? Icitt ?

TARZAN : Toi et moi, on forme une cellule... Oké ?

COMMUNIQUÉ Nº 1 DE LA CELLULE D'AMOUR

DIALOGUER C'EST SE FAIRE FOURRER NOUS NE VENONS DONC PAS DIALOGUER MAIS VOUS ANNONCER LA NAISSANCE D'UNE NOUVELLE CELLULE DU FRONT DE LIBÉRATION DU KÉBEK LA CELLULE D'AMOUR N'EST QUE L'UN DES MAILLONS D'UNE CHAÎNE EN PLEXIGLASS ET EN BOUCHONS DE KIK PERCÉS PUIS PEINTS EN BLANC A LA BONBONNE CETTE CHAÎNE EST INDIVISIBLE FORTE COMME LE CAP DIAMANT PARCE QUE LE ROC DE GIBRALTAR LA PRUDENTIELLE PEUT LE GARDER DE MÊME QUE TOUTES LES COMPAGNIES D'ASSURANCE PEUVENT

D'AMOUR, P. Q.

GARDER LEURS FAUX SYMBOLES DE SÉCURITÉ GRACE AUX-
QUELS ELLES EXPLOITENT LE PEUPLE HYPOTHÈQENT L'AVE-
NIR ET DIVERTISSENT NOTRE ARGENT SOUS FORME DE
CAPITAL QU'ELLES INVESTISSENT DANS DES PAYS SOUS-DÉVE-
LOPPÉS OU TRIMENT DES HOMMES DES FEMMES ET DES
ENFANTS QUE NI LA PRUDENTIELLE NI L'ÉCONOMIE NI MERIT
NI WAWANESA NI LA SUN LIFE N'OSERAIENT ASSURER
SACHANT QUE LEUR VIE D'HOMME NE VAUT PAS BOUT DE
TINETTE LA CELLULE D'AMOUR DIT AVEC DES MILLIERS DE
KÉBÉCOIS QU'ELLE A MAL AU VIET-NAM QU'ELLE SOUFFRE
AU BIAFRA QU'ELLE MEURT AU BENGALE QU'ELLE POURRIT
EN AMÉRIQUE LATINE QU'ELLE DEVIENT FOLLE EN PALESTINE
VIVRE LA CELLULE D'AMOUR NE VEUT PAS DIALOGUER ELLE
VEUT VIVRE VIVRE VIVRE VIVRE VIVRE VIVRE VIVRE VIVRE
VIVRE VIVRE VIVRE VIVRE VIVRE VIVRE VIVRE

NOUS VAINCRONS !

Un jour, j'ai entrepris le tour du monde à dos d'âne.
Je me suis échappé à dos d'âne parce que j'en avais
assez d'avancer à dos d'homme : c'est plus lent, bien
sûr, mais ainsi rien ne t'échappe : le vol inquiet des
papillons, la bouche ouverte des fleurs, le goût de
caramel des journées d'orage...

Je suis un trot, je suis un pet, je suis une sangle
tendue sur du poil gris humide, je suis bête comme
un âne, je suis un âne à dos d'enfant, un enfant le
dos au mur...

Je suis dans un restaurant de la rue Rachel, une
rue timide comme une robe de couvent, un restaurant

bleu marin, je suis un tabouret, nous sommes vingt tabourets en rang, face au comptoir, des hommes ont posé leur cul sur nos têtes et sirotent un pepsi-cola, un moutain dew, une bière d'épinette, un seven up, un cream soda, une orange crush, un peer's aux fraises, un Coca-Cola avec des pailles rouges et blanches, des pailles de plastique qui ne poussent dans aucun champ. Il fait chaud, leur cul pue, la radio crache les résultats des courses à Blue Bonnets, les chevaux sont essoufflés, je suis un cheval essoufflé, je suis à dos de cheval, je me suis échappé du peloton, j'ai galopé devant l'estrade d'honneur, je suis un harnais, je suis un mors, je suis un naseau fébrile, je suis écume bleue, je suis une selle serrée sur du poil brun humide, je rapporte du sept pour un, je rends heureux, je suis revenu à l'écurie, je suis dos à un mur lavé à la chaux, mais il y a à manger dans l'auge.

COMMUNIQUÉ N° 2 DE LA CELLULE D'AMOUR

DES JOURNALISTES SE SONT INQUIÉTÉS DE CE QUE NOTRE RÉSEAU APPARTIENNE AU FLK LA RAISON EN EST POURTANT BIEN SIMPLE TOUS LES KÉBÉKOIS QUI ONT LES QUENŒILS OUVERTS LA CERVELLE FRAÎCHE L'APPÉTIT HUMAIN LE CŒUR AU-DESSUS DU VENTRE LES OREILLES A LA BONNE PLACE ET LES MANCHES RETROUSSÉES FONT IPSO FACTO C'EST DU LATIN NOUS UTILISONS CETTE LANGUE MORTE POUR ÊTRE COMPRIS DES FOSSILES QUI EN FONT LEUR ORDINAIRE

D'AMOUR, P. Q.

LES CADAVRES DU BARREAU LES CAVES DE L'ASSEMBLÉE NATIONALE LES MÉDECINS SPÉCIALISTES DE L'EXPLOITATION DES MASSES AU NOM DE LA MASSE SALARIALE LES SILENCIEUX DU HAUT CLERGÉ LES JUGES A TOGE A POURCENTAGE A SUCE-MOI LE FOUETTE JE TE LAISSE ALLER CETTE FOIS-CI LES PSYCHAMACHINS AU SERVICE DU GOUVERNEMENT ÇA N'EXISTE PAS LE GOUVERNEMENT NOUS Y REVIENDRONS LES HOMMES D'AFFAIRES QUI ONT FAIT LEUR COURS CLASSIQUE IPSO FACTO DISIONS-NOUS POUR QUE CES MORTS VIVANTS ENTENDENT LE CLAIRON IPSO FACTO COMME LES HABITANTS DE JÉRICHO IPSO FACTO TOUT LE MONDE TOUT LE PEUPLE TOUT KÉBÉKOIS FAIT PARTIE DU FRONT DE LIBÉRATION DU KÉBEK CAR CEUX QUI NE SONT PAS POUR LA LIBÉRATION DU KÉBEK SONT POUR SON ASSUJETTISSEMENT ET LE FRONT RÉUNIT LES AMANTS DE LA LIBERTÉ

NOUS VAINCRONS !

Je suis une pièce de monnaie dans une main tendue, on me frappe la tête et le castor sur le rebord beige de la fenêtre, je suis l'attention détournée de la vieille Maria Schermultzer, je suis ses jambes grasses déco-rées de veines bleues et rouges comme un arbre de Noël, j'ai entrepris le tour du monde sur des jambes malades que je déplace du petit poêle à kérosène au poids qui retient la porte derrière laquelle j'accumule les invendus. Je suis un journal qu'on achète, la Gazette, la Presse, le Star, le Montréal matin, Echo Vedette, le Petit Journal, la Patrie, le Devoir, le Droit, le Soleil, Allô police Minuit ; je suis un titre, un événement, un fait divers, une image furtive ; j'ai entrepris le tour du monde par photographie, c'est limité, bien sûr, c'est encadré, mais ainsi je ne rate aucune mort violente, aucun enterrement important, rien de l'horrible ne m'échappe et le temps figé de la photographie m'évite de faire face au mur de ma propre mort alors je colle dans un ordre précis ces assassinats de papier, je couvre le mur, je fais face au mur. L'hiver c'est plus compliqué.

Je suis Vincent Minelli, je suis né au pied des murs d'un château en Sicile, j'ai entrepris de creuser un sillon autour du monde et d'y planter mes cousins. Je suis un bouquet de carottes sur une table de fer du marché, je suis un cri, je suis un prix, je suis un échange, un commerce, un troc, un monceau de cœurs de palmier, une aubergine écrasée, un chat endormi, un rayon de soleil sur un melon doré, un rayon de poussière dans une grappe de raisins, je suis une fourchette entre les doigts et les bouches entre les uns qui sèment cultivent et cueillent et ceux qui dévorent ou rêvent de fraises à la crème, de framboises velues, un sillon à travers les continents et les fonds marins, épicier, rue Laurier. J'ai traversé l'Atlantique, je suis un tablier trop long, je suis une odeur de viande saignante et de bran de scie, je suis un paquet de pruneaux, un baril d'olives noires qui nagent, je suis une morue essoufflée aplatie salée jetée près des biscuits, je suis cinq livres de sucre, deux livres de riz, une bouteille de savon vel pour la vaisselle, une boîte de sardines portugaises, deux de petits pois Lesueur, une livre de beurre, une caisse de bière ; je suis le sel de la terre, le poivre de la vie, je suis un sac brun épais bruyant déposé sur le comptoir avec le sourire, je suis face à la porte, je suis la caisse qui tinte.

COMMUNIQUÉ N° 3 DE LA CELLULE D'AMOUR

LE FRONT DE LIBÉRATION DU KÉBEK N'EST PAS UN MOU-VEMENT TERRORISTE CAR CEUX QUI COUCHENT AVEC LA TERREUR MOURRONT DANS LA TERREUR LES TERRORISTES SONT AU POUVOIR ILS ONT INVENTÉ LA CAGE DORÉE QU'ILS RETOUCHENT TOUS LES JOURS LA PREMIÈRE MANŒUVRE TERRORISTE CONSISTE A METTRE LES HOMMES AU PAS A LA MONTRE A L'HORAIRE ET POURTANT CHAQUE FOIS QU'IL Y A UNE FÊTE OU UNE TEMPÊTE LES AUTRES FONT L'AMOUR ET LA TERRE NE CESSE PAS DE TOURNER IL FAUT TOUT LAISSER TOMBER DE TEMPS A AUTRE METTEZ UN HIPPIE DANS VOTRE JOURNÉE UN PEU DE SOLEIL BEAUCOUP D'INAT-TENDU UN PEU DE LIBERTÉ BEAUCOUP DE COURAGE KÉBÉKOIS NE FAITES JAMAIS CE QUE VOUS N'AIMEZ PAS FAIRE AUTRE-MENT UN JOUR NOUS MOURRONS TOUS MALHEUREUX ET CONSTIPÉS JETEZ VOS MONTRES AU PUISARD ARRÊTEZ REGARDEZ ÉCOUTEZ LA VIE ELLE NE DURE QUE SOIXANTE ANNÉES ET ENCORE

NOUS VAINCRONS !

TARZAN : Imagine que je laisse ces communiqués aux

quatre coins de la ville, avec ma moto c'est facile, on ne peut pas m'attraper. Je les plie soigneusement dans une grande enveloppe rouge, je les glisse dans le tronc des pauvres des églises, tu téléphones aux journalistes pour les prévenir ; puis d'autres cellules comme la nôtre se mettent à écrire, des centaines de communiqués circulent que l'on attend, que l'on dévore, une nouvelle idée germe, tout devient possible, même les vieux se remettent au dactylo parce qu'ils sont écœurés d'être vieux et qu'ils veulent nous le dire. Dans les maternelles, les enfants qui ne savent pas encore écrire dessineront leurs messages et des copains les sèment dans les parcs ; les nurses les mères les retraités les décorés les amoureux les neurasthéniques rencontrent des enfants à tricycle qui leur tendent un papier, puis une main, il fait tendre comme au printemps quand les hirondelles plongent dans le soleil :

Je suis un oiseau, je suis une grive, j'ai entrepris de faire le tour de la terre à tire d'aile sur le dos du vent, je suis un bec dans le cerisier, je suis le noyau amer sur le pavé, je suis un cri, un chant, un soupir le langage de la nuit, je suis un œil aux aguets sur le dos du chat, j'hésite, je me baigne, je m'ébats, je pars, je reviens, je vole, je suis à dos de chameau sur la chaise transatlantique à rayures jaunes et noires, je m'endors en dévorant des fruits lavés dans le sel, je crache, je suis une tache de sang, je vibre au volant mais je ferme les yeux, je suis un rouge-gorge étranglé dans la coulée, je suis une aile dans l'eau du ruisseau, un dégoût, je suis un cri dans la nuit de la cheminée.

COMMUNIQUÉ N° 4 DE LA CELLULE D'AMOUR

NOUS VOUS ANNONÇONS LA NAISSANCE DE NOTRE FILS CEDRIC SEPT LIVRES DIX ORTEILS SIX BIBERONS PAR JOUR CET ENFANT DE LA LIBERTÉ SERA UN JOUR MINISTRE DE LA FRATERNITÉ DANS LE GRAND CIRQUE EN COULEUR ET HAUT LES CŒURS EN MUSIQUE QUI REMPLACERA LE GOUVERNE-MENT CAR CELUI-CI S'ÉCROULERA AU TAPIS COMME GRE-NOUILLE UN JOUR DE PLUIE LA MORT NE NOUS ATTEINDRA PLUS CAR LA MORT N'ATTEINT GUÈRE CEUX QUI SONT PÈRES ET MÈRES

NOUS VAINCRONS !

Je suis celui qui t'aime et qui ne sait plus comment te le dire, je suis une lèvre qui hésite comme un plon-geur frileux, je suis à ma place comme un verre de bière sur une table d'arborite doux comme un glaçon qui fond dans l'herbe, je suis celui qui attend que la locomotive chante, je suis la voie ferrée sur les travées, je suis le bûcheron qui démissionne, je jumpe, je cavale, je cours, je m'attriste comme un jour d'action de grâce, je suis un jonc sec qui roule dans le sable, je suis l'eau qui monte l'amour à fleur de peau, je suis une entente tacite, une complicité, un complice ; quelqu'un a tué mes mots : en joue, feu ! Les mots morts sont tombés. Je suis une échelle qui glisse, un cri du ventre, je cherche le soleil par-dessus le toit, je te cherche toi parmi les cousins et les cousines plus fortunés, je suis un sandwich au fromage Kraft mou, je suis une olive écrasée, je suis une mie de pain dans ta bouche. Voici la gare, il n'y a plus d'horaire, il n'y a que des habitudes, des wagons qui roulent parce qu'ils ont toujours roulé, je suis la vapeur sale des freins, la suie du dédain ; les autres avancent dans la clairière et ramassent les bleuets des champs brûlés, je suis ta robe de coton, je colle à ta sueur, je suis ton rire, je suis l'œil bleu de la corneille, le piquet de cèdre, le fil barbelé.

COMMUNIQUÉ Nº 5 DE LA CELLULE D'AMOUR

CITOYENS CAMARADES FRÈRES KÉBÉKOIS NE LOUEZ PLUS RIEN A QUI QUE CE SOIT NI VOS BRAS NI VOS CERVEAUX NI VOTRE TEMPS NI VOTRE IMAGINATION NI UNE PLACE DANS LE MÉTRO NI VOTRE LOGIS NI VOTRE CABLE DE TÉLÉVISION NE LOUEZ PLUS N'ACHETEZ PLUS PRENEZ DONNEZ DITES OFFREZ DEMANDEZ SOURIEZ VOUS ÊTES L'INSOLENCE DE LA VIE CEUX QUI POSSÈDENT CEUX QUI INTERMÉDIENT CEUX QUI LOUENT MÊME L'ARGENT C'EST-A-DIRE LE TRAVAIL DE VOS FRÈRES SONT DES MEURTRIERS POURQUOI AVOIR QUITTÉ LE PARADIS SI CE N'ÉTAIT QUE POUR SE SOUMETTRE AUX

135

D'AMOUR, P. Q.

CONCIERGES AUX CONTREMAÎTRES AUX BLANCS PURS ALLE-
MANDS AMÉRICANISÉS LUTHÉRIENS DE LANGUE ANGLAISE
SURTOUT MAIS IL Y A DES EXPLOITEURS QUI PARLENT VOTRE
LANGUE LES PLUS FORTS LES PLUS FINS LES BIENS NÉS LES
LÈCHE-CULS PARLENT TOUTES LES LANGUES NE CROYEZ PAS
AUX MIRACLES MÊME A CEUX MADE IN JAPAN CAR IL EST
DES MILLIONS DE JAPONAIS QUI SE MEURENT CEPENDANT
QUE LE CLERGÉ DU MANAGEMENT CHANTE QU'ILS ONT RELEVÉ
LE DÉFI AMÉRICAIN IL NE FAUT RELEVER QU'UN DÉFI CELUI
DE LA LIBERTÉ DE TOUS NOUS VOULONS TOUT TOUT DE SUITE
POUR TOUT LE MONDE OU POUR PERSONNE

NOUS VAINCRONS !

J'ai douze fusils, trois pistolets et cinq couteaux,
j'ai lu mille assassinats dans les livres policiers, je
tremble par discours interposés, je ne sais pas raconter
une histoire mais j'aime que l'on m'en raconte. Toujours prêt à partir, je suis né avec un billet dans les
mains, je suis né dans une malle à demi remplie, je
pars avec vous si vous m'invitez car je sais voyager
(j'ai fait mes classes sur les ponts des navires), je
suis un tronc d'acier, un tourniquet. Il pleut, je resterai
dehors, je garderai le paysage, vous pouvez rentrer
avec les chèvres et les moutons, je resterai face à la
mer jusqu'à ce que les bancs de brume cèdent la place
aux taches blanches des mouettes.

Je suis au fond du taxi les jambes repliées, j'ai
entrepris un tour de terre ; le compteur ne cessera de
clignetaquer, ta robe de guipure est une mosaïque

sur ta peau bronzée, mes doigts s'y accrochent comme des éperlans dans un filet, ma tête entre tes jambes, la nuit sera plus noire ; au-dessus, le toit de la voiture est un miroir : je suis le vin blanc glacé que nous avons bu. Le taxi roule toujours, le chauffeur s'est endormi et nous glissons tous deux sur le tapis, tes seins à découvert, ton eau qui coule, ce sera bientôt l'aube de la ville et la rase campagne mais : tu t'es endormie ? Je voulais te parler, tu as souri comme au premier homme. C'est vrai, le moteur ronronne mal et la banquette est en vinyl ; je te parle par poèmes appris en classe, le taxi vieillit, il se cabosse, il rouille, les bougies se sont encrassées. Ce ne sera pas pour cette fois encore car quand je suis revenu, après avoir payé le pompiste, tu étais déjà partie.

COMMUNIQUÉ N° 6 DE LA CELLULE D'AMOUR

NOUS NE NOUS DISONS PAS ASSEZ QUE NOUS NOUS AIMONS N'ESSAYEZ PAS D'AIMER TOUT LE MONDE C'EST INUTILE RIDICULE IMPOSSIBLE ÉPUISANT FAUX MAIS DITES A CEUX QUE VOUS AIMEZ QUE VOUS LES AIMEZ DITES A VOS AMIS QUE VOUS LES AIMEZ ÉCRIVEZ-LEUR TÉLÉPHONEZ-LEUR ACHETEZ UN PANNEAU-RÉCLAME CHEZ CLAUDE NÉON DITES-LEUR JE T'AIME CENT FOIS PAR JOUR ET SI VOUS VOUS TROMPEZ ET QUE CELUI QUE VOUS AIMEZ N'EST PAS UN HOMME C'EST-A-DIRE UN KÉBÉKOIS LIBRE IL SE DISSOUDRA IL SERA ÉMULSIONNÉ IL TOMBERA EN POUSSIÈRE VIVEZ

D'AMOUR, P. Q.

AVEC CEUX QUE VOUS AIMEZ OR SURTOUT LES CHATS SONT
LA RÉINCARNATION D'ÊTRES QUE VOUS AURIEZ AIMÉS DANS
LES SIÈCLES PASSÉS DÉCOUVREZ LE SECRET DE LA MÉTEM-
PSYCHOSE DÉCOUVREZ CE QUE VOUS ÉTIEZ DANS UN AUTRE
UNIVERS PRENEZ-VOUS POUR UN AUTRE JE EST UN AUTRE
A DEUX C'EST TOUJOURS MIEUX VOUS ÊTES DÉPOSITAIRE
DE CINQ MILLIONS D'HOMMES LUMIÈRE QUI ONT MIS EN VOUS
TOUTES LEURS ESPÉRANCES IL FAUT ÊTRE A LA HAUTEUR
DE CINQ MILLIONS D'ANNÉES D'ESPOIR

NOUS VAINCRONS !

TARZAN : Evidemment les communiqués s'échangent
maintenant de villages en villes en villages, de maisons en maisons, les Kébékois se disent tout haut
ce qu'ils chuchotaient hier à la radio, au début, puis
à la télévision ; le Gouvernement n'a pas pu empê-
cher des bribes de passer, il croyait d'ailleurs ridi-
culiser le Front de Libération, mais c'est lui qui s'est
fait prendre, culotte baissée.

MIREILLE : Il avait plein de boutons aux fesses.

TARZAN : Une révolution est en marche, tu comprends,
les gens travaillent, mais ils aiment leur travail, c'est
fourrant pour les marchands de pacotille qui comp-
tent que tu t'ennuies le jour pour te vendre des
attrape-nigauds le soir, ils ne comprennent rien, les
gens font leur pain parce qu'ils ont le temps maintenant et ils ont le temps parce qu'ils le prennent,
ils n'échangent plus une miche contre un bouquet de
fleurs en plastique. Les plus délurés jouent la

comédie dans les parcs, et chacun touche d'un instrument de musique, des chœurs de flûte partout, les tavernes sont en verre transparent, le ministère de la fraternité échange des tonnes de beurre kébékois contre des éléphants d'Afrique et d'Asie, rendus ici les éléphants sont tant et si heureux qu'ils se laissent pousser du poil comme aux mammouths de Sibérie. Ils ont remplacé les autobus trop bruyants, tous les cirques du monde ont élu domicile dans le pays parce qu'ici ce sont les enfants qui animent le ministère du Merveilleux dont dépend aussi le cinéma, la poésie, tous les arts, on ne connaît qu'un homme en prison, c'est un médecin qui affirmait que le rire est dangereux pour la santé, on l'a enfermé pour rire ; tous les autres, les prêtres de l'efficacité les premiers sont en exil, ils sont montés à bord d'un train qui allait vers l'ouest, là-bas...

COMMUNIQUÉ N° 7 DE LA CELLULE D'AMOUR

LES VÉRITABLES RÉVOLUTIONNAIRES SONT DES GENS HEUREUX LES PLUS BELLES FEMMES DU MONDE HABITENT LE KÉBEK LES HOMMES D'ICI APPRENNENT A SE TENIR DEBOUT NOUS AVONS ÉTÉ EXPLOITÉS NOUS ÉTIONS BONS NOUS REFUSONS L'EXPLOITATION NOUS SOMMES MEILLEURS EN ONTARIO LES ÉCUREUILS SONT NOIRS AU KÉBEK ILS SONT GRIS ET SOYEUX A CHACUN SON TERRAIN DE CHASSE MAIS IL Y A DES NOIX POUR TOUS IL Y A DU TRAVAIL POUR TOUS NOUS

N'AVONS ABSOLUMENT PAS LE DROIT D'ACCEPTER QU'UN HOMME SOIT CHOMEUR LE PROJET KÉBÉKOIS N'EST PAS UN REPLIEMENT SUR SOI MAIS L'AVENTURE VÉCUE DE CE QUI EST POSSIBLE AILLEURS LES VOLEURS AURONT LES MAINS COUPÉES LES PARASITES ÉLÈVERONT DES POUX AU CIRQUE LES ORGUEILLEUX AURONT UNE CLOCHE AU COU QUI SALUERA LEUR EGO TOUT SE DISCUTERA SUR LA PLACE PUBLIQUE LES LOIS SERONT VOTÉES PAR TOUS LES KÉBÉKOIS A MAIN LEVÉE DANS LES RUES LE PREMIER VENDREDI DE CHAQUE MOIS TOUT SERA GRATUIT MAIS PARCE QUE NOUS NE SOMMES PAS TOUS SEMBLABLES IL SERA DONNÉ A CHACUN SUIVANT SES BESOINS APRÈS CINQ MILLIONS D'ANNÉES D'ESPOIR ET DEUX CENTS ANS DE TUTELLE N'EST-CE PAS LA UN MINIMUM ?

NOUS VAINCRONS !

— Thomas ! Viens voir ! Il y a l'armée dehors, des jeeps, des camions, des soldats avec des mitraillettes, ils viennent de Rome sûrement, défendre la pilule ou Franco, l'invasion de l'Ethiopie, la civilisation chrétienne qui n'a jamais fait de mal à une mouche parce qu'elle était trop occupée au mal qu'elle faisait aux hommes. Ce sont des soldats de Sa Majesté, ils viennent défendre le Commonwealth, le Nigeria, le canal de Suez, ils ont des camions de Washington rapatriés de Corée, d'Indochine, du Laos, des héros. Le gouvernement nous envoie ses messagers, il ne doit pas se sentir faraud s'il a besoin d'envahir les parterres. Qu'est-ce qu'on va faire ?
— Je ne sais pas. C'est sûr que les flamants roses

ne peuvent voler tant qu'il y a des hélicoptères en l'air. Maudites sauterelles !

— Tu penses qu'on était tellement forts qu'ils avaient besoin de soldats ?

— Ou bien ils étaient faibles, et on le savait pas.

— Cedric dort ?

— Oui.

— Le Kébek, lui ?

« En réalité, je me parle à
Toulmonde »

CONCLUSION
ÉPILOGUE
COUCHER DE RIDEAU

CE MANUSCRIT TERMINÉ UN TYPOGRAPHE INCONNU L'A
COULÉ DANS LE PLOMB COMME UN PETIT SOLDAT. L'AUTEUR
AVEC COURAGE ET MIREILLE AFFRONTERA SERVICE DE
PRESSE SIGNATURES ET DÉDICACES. AU LANCEMENT IL
ÉTAIT SEUL A BOIRE DU CHAMPAGNE LES ÉDITEURS ÉTANT
CE QU'ILS SONT. LA TÉLÉVISION LA PRESSE LA RADIO LE
PRESSAIENT DE QUESTIONS. IL ÉTAIT AUX OISEAUX. ON LE
MIT EN CAGE POUR L'ENTENDRE SIFFLER

Thomas a trop mangé, il souffle comme au cirque un phoque sa trompette, tout en gravissant l'escalier tire-bouchon étroit dans lequel les longues jambes de Mireille le précèdent élégamment. 03. C'est ici.

Tous les studios d'enregistrement se ressemblent : trois murs nus, une seule vitre sale derrière laquelle, à l'abri du quotidien, se réfugie le réalisateur flanqué d'un technicien aux tables tournantes, le médium, le message. Sur le tapis vert poussiéreux, entre deux cendriers, un micro qu'il faut oublier. Pour les apprivoiser, l'animateur en chemise blanche sert des amuse-gueule, aimables mondanités qui appartiennent au rite radiophonique. Tests de voix. A vous ! Le lampion rouge s'allume. Voici le Saint-Esprit. Musique en arrière-plan, présentation, fade out musique :

— Nous avons ce soir le plaisir de recevoir à notre émission, l'écrivain, poète et romancier Thomas D'Amour, dont l'éloge n'est plus à faire.

(L'animateur sourit, sollicitant un bonsoir papa, bonsoir maman.)

— Merci c'est trop, glisse Thomas, mais ça fait toujours plaisir...

— Monsieur D'Amour n'est pas seul cependant ce soir à nos micros, il est accompagné d'une jolie dédicace.

— Tabarnaque ! Maten faire une dédicace ! lance Mireille.

(Thomas D'Amour, qui a l'habitude des interviews, intervient) :

— Mireille n'est pas une dédicace, elle n'est pas non plus secrétaire comme on l'a écrit dans un journal à potins, je veux dire : elle est, bien sûr, secrétaire à la Faculté des Lettres de l'Université, mais ce n'est pas en tant que telle qu'elle m'accompagne...

— Je l'ai aidé à faire son calvaire de livre, dit posément Mireille plaçant sa tête entre ses deux poings fermés et, léchant le micro : on dirait un cornet de crème à glace cendré !

— C'est juste, je lui ai dédié ce livre, mais en fait elle m'a aidé à le composer.

— Continue, je bronche pas, parle-s-y, c'est pas ton père.

— Exactement comme les élèves d'un Boticelli par exemple exécutaient un tableau que le maître avait esquissé puis retouchait.

— Je vois, amorce l'animateur.

Tu vois rien, pantoute ! pense Mireille.

(Celui-ci, affable, se penche vers elle après un coup d'œil au réalisateur qui hausse les épaules.)

— Alors, mademoiselle, si vous permettez, vous pourriez peut-être nous dire votre expérience, en somme quelle impression cela vous a-t-il fait d'être, du jour au lendemain, promue apprenti écrivain ?

— Ni chaud, ni frette. Apprenti écrivain ! Epis quoi encore ? Courtisane des lettres ? Tisane des snobs ? Vous voulez me montrer le cul de votre tasse de thé que je vous prédise l'avenir ? Heille, vous êtes snob en pas pour rire ! Tu veux le savoir, l'Animateur, commenk ça s'est passé ?

(Thomas, qui sent le tragique comme d'autres la moutarde, l'interrompt :)

— Mireille, je m'excuse, mais c'est MOI l'écrivain, et si tu le permets je vais terminer cette interview, nous reparlerons de tout cela plus tard, tout à l'heure, sois gentille, laisse-nous travailler.

— D'ailleurs nos auditeurs..., ajoute l'animateur en vain car Mireille, butée, les yeux fermés, poursuit :

— Thomas D'Amour est venu chez moi un samedi après-midi vérifier le texte des premières pages d'un roman qui s'appelait Floppe...

— Zappe, corrige Thomas.

— Moi je lui ai dit ce que je pensais de son nostie de manuscrit.

— C'est-à-dire ? demande l'animateur.

— De la marde, répond Mireille, épis j'avais raison à plein ! vu que ça l'a inquiété, puis ensuite qu'il s'est repris, safaquon a corrigé ensemble, même qu'à

149

certains moments, vers la fin, j'en ai dicté des bouttes que lui tapait, une vraie révolution culturelle dans le monde de la dactylographie, c'était pas mal le fonne, on écrivait, on mangeait, on couchait, on buvait, heille, on n'a bu une chotte !

— Cette écriture a duré longtemps ?

— Tout dépend de ce que vous entendez, dit Thomas D'Amour, deux ans, en un sens, douze jours...

— ... de nos sens, glousse Mireille. Le croiriez-vous ? Il m'a demandé en mariage quatre fois ! Pas vrai, l'Auteur ?

— ... Mireille, dit l'Auteur un peu nerveux, jouant avec le fil du micro parce qu'il n'a plus de cigarettes, ce que tu racontes n'a aucun intérêt pour les auditeurs de cette émission-ci. Je t'ai expliqué dix fois que certaines interviews demandaient des anecdotes, dans les émissions populaires par exemple, mais ici *(au réalisateur qui l'écoute et le regarde il demande par gestes, faisant un ciseau des doigts si celui-ci peut couper ; l'autre balance sa tête molle de gauche à droite, non, indiquant du nez le voyant lumineux)* tu vois, c'est une émission pour des intellectuels, des littéraires...

— Nous aimerions nous attarder à la forme du livre..., ajoute l'animateur encourageant Thomas.

— Voilà. Aux procédés d'écriture, aux rapports que ce livre-ci entretient avec les précédents, l'influence de...

— Tu voudrais que j'aie l'air *intelligente* ?

— Là ! Tu vas te fâcher inutilement, dit Thomas.

— Tu voudrais que je soigne mon langage peut-être ?

— Oui, par exemple, ton langage, tu pourrais...

— Eh bien, l'Auteur, ma théorie, moi, ma théorie intelligente et littéraire pour tes tabarnaques d'intellectuels, c'est que ça sert à rien de soigner mon langage, vu qu'il n'est pas malade...

— Vous comprenez qu'il y a des mots..., enchaîne l'animateur, qu'il serait préférable de ne pas utiliser.

— Vous zêtes pour la reproduction ou bedon la pilule ? Tu trouves pas qu'il a une tête à stérilet ? Y ferait pas vieux os comme M.C. *(elle prononce aime si)* au Champ's, c'est sartain ; je le mettrais au vestiaire plutôt, c'est ça, ou comme dame pipi dans un bordel d'académiciens, animateur d'émission littéraire, pis s'a peur des mots ! J'aurai tout entendu ! Tu sais que Mariette doit nous écouter en ce moment. Salut la plotte ! C'est le fonne, la radio. (Le réalisateur étale sa main contre la vitre, cinq minutes encore, l'animateur ne sait plus s'il doit animer, rire ou pleurer.)

— Tu transpires, mon beau.

— Elle n'est pas toujours ainsi, dit Thomas D'Amour pour excuser Mireille qui reprend l'antenne :

— Benon ! Mais vous me provoquez. C'est pas sérieux, votre émission, comment ça s'appelle ?

— Quel est le thème du livre ? demande l'animateur qui tente de reprendre l'initiative des opérations.

— La lutte des classes, affirme Mireille tentant de mettre son pied sur la table qui bascule.

— La réconciliation, corrige Thomas.

151

— Ouais. T'as raison. Mais c'est pas stable. Depuis qu'on est ensemble, qu'on se chicane, qu'on se réconcilie. Une claque sua gueule, un baiser sué fesses. Mais je pense que c'est plusse la lutte des classes.

— C'est un livre marxiste, alors ?

— Etufou casse ? Je fais rien que commencer à lire ces affaires-là, le capitalisme, le matérialisme dialectique, même Thomas comprend pas, faut que je lui explique ! Mais ça va viendre, crains pas, j'étudie ça en recyclage.

— Il y a aussi, dans ce livre, un problème de langage ? demande l'animateur vérifiant les notes qu'il avait prises et scribouillées à l'endos d'un paquet de Player's Please.

— C'est-à-dire, enchaîne Thomas, mettant sous la table sa main sur la cuisse chaude de Mireille, glissant un doigt sous la jarretelle, il y a toujours dans tout livre, au départ, un problème de langue car celle-ci, suivant sa vitalité, son universalité, le dynamisme de son économie non seulement structure le récit, mais encore lui donne sa raison d'être puisque, disons, écrire en bantou doit être moins exaltant, en termes de diffusion, qu'écrire en anglais, encore que...

— Envoye, Thomas ! Vas-y ! Disy ostie !

— ...La langue française est une bonne assiette culturelle, on y peut manger à son aise, elle permet... oui, il y a un problème de langage... *(Il retire sa main.)* C'est-à-dire que l'univers dans lequel baigne...

152

— Y va vous sortir sa théorie de la crasse dans la baignoire.

— Non... je veux dire que le problème de la littérature québécoise est d'abord politique. La libération du verbe...

— Du sujet, de l'attribut, du complément, de l'adjectif, de l'adverbe, de l'artic...

— Passe par l'affirmation du français en Amérique. Il ne peut y avoir de littérature bilingue.

— Comment pouvez-vous affirmer cela, monsieur D'Amour ?

— Ben oui, Thomas ?

— La langue, dans un univers bilingue, est un objet strictement utilitaire. L'information domine. Or la littérature est un produit inutile, gratuit comme l'amour.

— Ecrire, c'est aimer ? demande l'animateur qui rêve des tétons de sa vis-à-vis et dont les yeux font songer aux blancs boutons d'une truite amandine.

— Vous souffrez ? Zavez mal aux dents ? s'informe Mireille.

— Excuse-moi, Mireille, je cherche à expliquer quelque chose de grave, tu auras ton tour...

— Chrisse ! On n'est pas au bowling ! Ton tour !

(Le petit studio est enfumé. L'aiguille électronique s'avance vers la demie. Trois minutes font les doigts du réalisateur qui se gratte la nuque de l'autre main.)

— Vous disiez ? suggère l'animateur.

— Ecrire, c'est aimer. C'est aimer un langage. Tenez : le roman, la fiction, vous aident à vous approcher de la réalité. La fiction comprend toujours plusieurs sens, si elle est riche, que vous offrez comme autant de possibilités, le roman, comme l'amour, donne un sens à la vie.

— Alors que faites-vous du rôle des sciences humaines, de la sociologie ?

— La sociologie est unidimensionnelle.

— Est plate, a porte des *falsies* en caoutchouc mousse, c'est comme Mariette qui veut faire croire qu'elle a des seins.

— La littérature par contre ! (*Et Thomas D'Amour, oubliant qu'il est à la radio, décrit avec ses bras toutes les dimensions des mots, dans l'espace, le temps, le souvenir, il s'agite et fait des bruits, tel un enfant qui joue avec un avion de papier...*) Sans parler des problèmes de langage !

— Je n'y crois pas, dit Mireille, dans la rue où j'habite il n'y a pas de problème de langage. Mais au département où je travaille, là y en a un char épis une barge ! Pas vrai, Thomas ?

— Mireille a raison : les problèmes de langage sont des problèmes d'universitaires qui naissent du puritanisme en quelque sorte.

— C'est bien simple, dit Mireille, faut pas se compter les poils du nez avant de les arracher...

— Ce qui fait la faiblesse de la littérature française, poursuit D'Amour qui ne perd jamais le nord, c'est l'impérialisme (structural ?) de cette langue française dont la force centrifuge casse les particularismes, et dont le mouvement centripète rejette les langages insoumis. Or la littérature naît de la liberté de langage, du plaisir, dirait Mireille, de forniquer sans...

— Heille, Thomas, le Monsieur Animateur me fait du genou en dessourre de la table, c'est-y qu'il me prendrait pour une plotte ?

— T'es bien tentante, répond Thomas d'un sourire supérieur et entendu.

Mireille sursaute.

— Ben j'ai mon voyage ! La complicité des élites sur le dos du prolétariat ! Ostid bourgeoisie des lettres ! Ecrivains ! Capitalistes ! Tous des exploiteurs ! Professeurs, animateurs, petits-bourgeois qui veulent monter, tu me ferais coucher avec un critique pour qu'on parle de toué !

Alors Mireille la Merveille se lève brusquement, repousse d'un coup de mollet la chaise de métal gris, s'empare du micro qu'elle tient maintenant à deux mains, au bout de son fil, regarde, à travers l'aquarium, le réalisateur droit dans les yeux.

— Ça marche, votre bizoune ? Coupez pas, parce que je vas me fâcher ! Pis pas question de m'enregistrer et de faire du montage ! J'ai combien de temps ?

(Une minute, dessine le réalisateur dans l'espace, le technicien ajoute : plus ou moins, de la paume de la main. Mireille respire lentement, se mord les lèvres, ses joues sont blanches, elle avale un peu de salive et d'une voix très douce, comme si elle suçait le micro :)

155

— Mesdames, messieurs, auditeurs, camarades ; je veux vous annoncer que c'est fini, f-i fi, n-i ni, car j'en ai plein le dos de vous amuser, et de servir de bergère à mon grand efflanqué D'Amour avec lequel je suis accotée. C'est parce que je vous aime que je vous dis ça, plutôt que de vous planter de la dynamite dans le cul. J'ai des comptes à régler avec l'auteur ici présent du livre que vous savez... mais, lecteurs, la facture est aussi pour vous. Mon cher Thomas D'Amour, la première chose que tu vas te mettre dans le ciboulot avant d'entreprendre un autre livre, c'est que les mots ne t'appartiennent pas : le langage est une richesse naturelle nationale, comme l'eau ; quand tu viens me dire que c'est TOI, L'ÉCRIVAIN, tu me fais mal aux seins, toi mon garçon, t'es l'aiguille du gramophone, t'es pas le disque, tu n'as pas la propriété des mots, si tu leur touches, c'est parce que la commune veut bien que tu nous fasses de la musique, mais faut pas nous faire chier. Toutes les secrétaires du monde ont droit d'intervention dans les lettres que leur dictent les patrons, tu comprends ? c'est pas chinois ça !

— Justement, c'est chinois, ose dire Thomas.

— Servilité terminée ! On s'en va à choppe ! Pour se faire overaller tous ensemble : t'as le cœur encrassé, tu as trop cherché à me cacher, drapée dans ta littérature de salon, bâillonnée par des textes de convention ; tu ne parles pas, tu murmures ; les fautes de français que tu aimes déceler sont de purs produits d'une attitude de classe, du sirop d'érable garanti de poteau, t'es pogné, mon Thomas ; faut te dépogner, c'est toute. Un écrivain, c'est pas plus important qu'une secrétaire, oké ?

(Le réalisateur de l'index se guillotine : l'émission est terminée. Mireille dépose le microphone et, sans saluer l'animateur effondré, lance à Thomas qui hésite encore :)

— A un moment donné : faut se brancher. Tu viens, D'Amour ?

Musique.

Achevé d'imprimer à Montmagny
par les travailleurs des Ateliers
Marquis Limitée en juin 1983

28 MAI 1985
19 NOV. 1986

7 MAI 1988

1 2 NOV. 1988

2 0 MARS 1989

- 4 JAN '91
- 5 MAR '91
13 NOV '91

ÉLAGUÉ